Instructions:

The task is to find each word mentionned bellow and circle it with a pencil. words can be diagonal, vertical or backward.
The best strategie is to look for the first letter of the word and then search for the complete word
Have fun!

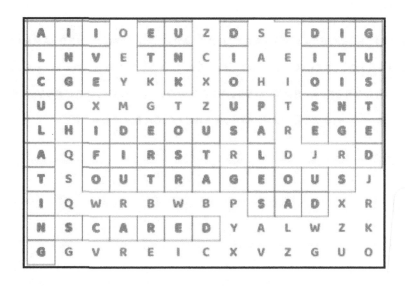

```
X L E B E D V R A B B I T D Y Q Z N V A
I R O R F Y I J A E H B C O R B F F Z R
Z J P N I K L C U J N Q J N R H O R S E
Q U U O A N T E L O P E H K L J C F N I
H R O O K H Q T V J K Y J E W P Y Z T T
K S A L L I G A T O R U A Y B I E C P T
M U W L E F J O Y U H A N T U S Q A T G
V B A A N G L E R F I S H P A A A T L O
A A R D W O L F D H W R C X U L L T E C
S U W X G A R M A D I L L O F P B L O Z
A I A P O A A R D V A R K Q E A A E P Y
N F P F A A N G E L F I S H L C T P A U
A I E C T Y T N W O L F H V I A R B R C
C A N I D A E C H M G W V A D P O B D U
O F T B A N T L I O N D Y B A E S S H K
N O L P R P I G Q Z S O S A E F S A T R
D X O H N X J A Z W G G T A P H I D U I
A G R M P U C S L A M P H I B I A N U S
I O F C A T O P D V F G J K M X W W M G
R X Z Y Z G C Q U Z Y A N T E A T E R L
```

FOX, ANGLERFISH, DOG, AARDVARK, ANT, APE, ANTLION, ASP, APHID, ANTEATER, ALPACA, ALLIGATOR, FELIDAE, CATTLE, CANIDAE, AMPHIBIAN, ANTELOPE, GOAT, ANACONDA, HORSE, ALBATROSS, AARDWOLF, WOLF, DONKEY, ARMADILLO, ANGELFISH, PIG, RABBIT, CAT, LEOPARD

```
V G Q G M A T U R E M F P J Z V D I F M X
L Z Y C N G R A N D I O S E N P F N W L X
N Z H A X C A D H E S I V E E T I Q U O B
Z S A L L K U K H T X Z Q L B J R U C P S
P W L C M A L E I S V M I V U C S I Y K U
O A T U X O C Q L D A D T D L N T S B T T
B I I L Z L W E A I S I H T O U J I H Z B
A T N A H V V Q R S P S A O U W W T I Y N
I I G T L R C X I C I G N K S S F I D X O
D N A I P C A D O R R U K A Y D X V E C X
N G H N T Z C P U E I S F M V P O E O W F
J S I G G V G N S E N T U X T A S J U D L
B F G O D L Y N O T G E L L F L H J S X C
V G M A Z M P H L B C D I F F E R E N T R
D X R U Y E J L C H U B B Y I A O A N O Z
S G F C J L T Y G U S A D P P N D G S D B
E S X W W A V I K C F N S T R A N G E R M
C U F L B S I N N O C E N T B V V O N U V
O M Q F Q T W G O U T R A G E O U S T N G
N V S S R I H I G H F A L U T I N B C K N
D Z N A O C U R I E I Z V I D I O T I C H
```

GODLY, CHUBBY, ASPIRING, HILARIOUS, DIFFERENT, ELASTIC, SAD, MATURE, CALCULATING, STRANGE, DRUNK, HALTING, SECOND, NEBULOUS, WAITING, THANKFUL, HIDEOUS, GRANDIOSE, PALE, HIGHFALUTIN, DISCREET, LYING, MALE, OUTRAGEOUS, ADHESIVE, DISGUSTED, INNOCENT, INQUISITIVE, FIRST, IDIOTIC

```
B D D T K V E D B Y D F P O W E R F U L
D I I N N O C E N T S O M H I R V L N J
R S C T J O M I V U G E L A S T I C P W
U C L H V X L T C U R D I F F E R E N T
N R O A E S E H W F A S P I R I N G E N
K E U N X T B A H A N D S O M E L Y P Q
M E D K L R N A A H D D Y X R I S P L A
T T Y F B A M A L E I H M F Z D L V F V
P H N U S N G U D S O I W D O I Y E T A
U T D L B G O H P L S D P L S O I S V I
F I R S T E E B F U E E C G V T N X M L
H I L A R I O U S A Y O U R R I G X R A
R W A I T I N G V J P U M L K C U K D B
F A S C I N A T E D T S A B R L G C D L
D E N P A P A L E X D Q T P T S J M M E
M A G U L L I B L E D D U X X W G E E Y
R I N S I D I O U S N C R L F M I D R B
V Y Y W G I G S A A D H E S I V E K E G
O U T R A G E O U S T S Z F S N B X J X
W K M R S B R H B J A S C A R E D Z Y E
```

AVAILABLE, ADHESIVE, OUTRAGEOUS, HIDEOUS, MATURE, MERE, STRANGE, INNOCENT, PALE, HILARIOUS, LYING, POWERFUL, GRANDIOSE, FIRST, HANDSOMELY, FASCINATED, DIFFERENT, DISCREET, ASPIRING, MALE, INSIDIOUS, CLOUDY, THANKFUL, GULLIBLE, ELASTIC, IDIOTIC, WAITING, SCARED, DRUNK

```
X  I  D  W  H  U  U  T  T  J  Q  I  T  S  T  S  Z  S  S  T  U
C  H  R  F  N  E  W  D  I  S  G  U  S  T  E  D  G  Z  W  E  C
O  I  U  P  H  X  F  T  N  H  A  L  T  I  N  G  O  A  N  I  A
M  D  N  N  R  I  P  U  N  S  E  C  O  N  D  J  D  R  Z  T  L
M  E  K  E  C  T  D  N  O  G  F  I  R  S  T  O  L  F  K  J  C
O  O  E  L  A  S  T  I  C  M  H  O  M  A  R  W  Y  A  P  B  U
N  U  O  S  W  B  P  L  E  N  G  R  A  N  D  I  O  S  E  Q  L
R  S  I  M  K  O  E  S  N  M  X  A  H  H  T  U  A  C  V  X  A
W  R  Z  A  U  U  V  C  T  E  B  T  V  V  V  P  G  I  C  I  T
E  O  W  T  I  U  Z  A  K  M  C  H  U  B  B  Y  I  N  N  A  I
Q  Y  H  U  I  T  X  R  X  A  D  N  X  O  Q  O  E  A  E  Y  N
T  J  B  R  B  P  J  E  U  L  O  Q  C  V  V  Z  J  T  B  C  G
E  R  M  E  F  A  A  D  H  E  S  I  V  E  D  A  N  E  U  A  Y
W  X  V  H  I  L  A  R  I  O  U  S  W  A  I  R  Y  D  L  G  A
B  M  E  R  E  E  B  O  S  L  B  R  L  S  S  O  M  P  O  E  S
L  O  U  T  R  A  G  E  O  U  S  Z  Y  B  C  M  H  L  U  Y  Y
T  E  P  F  H  Q  I  U  S  A  D  F  I  G  R  A  L  F  S  X  I
J  G  H  I  G  H  F  A  L  U  T  I  N  E  E  T  M  J  L  G  E
X  D  E  L  I  G  H  T  F  U  L  X  C  E  E  I  X  V  N  L  O
R  U  Y  U  P  D  E  C  Q  Z  L  N  M  V  T  C  L  G  M  W  M
N  P  F  P  K  D  Y  H  E  T  H  A  N  K  F  U  L  N  R  O  S
```

CHUBBY, OUTRAGEOUS, SCARED, GODLY, MALE, INNOCENT, COMMON, FASCINATED, NEBULOUS, CAGEY, DRUNK, SAD, DISCREET, PALE, ADHESIVE, FIRST, HILARIOUS, HIDEOUS, HIGHFALUTIN, MERE, HALTING, GRANDIOSE, ELASTIC, THANKFUL, AROMATIC, DELIGHTFUL, DISGUSTED, MATURE, CALCULATING, SECOND

```
T P T T I C N S P L V O K X J M A E N A A
U D U G M A T U R E Q D A T L E F N O E E
J V V G W I C R A B J P U D X L N L S D M
T B S V V H L W O U T R A G E O U S T M H
S E C O N D O L Y J N W X I A Q S V R H J
Z W V W Y Z U J B D R U N K I I X A A T Q
Z A G E A E D A S P I R I N G N G V N H Z
E I S F F J Y C C A G E Y E I Q R A G A M
S T B I O R U S E P L Y I N G U A I E N J
N I K N C A L C U L A T I N G I N L M K O
J N S N K I K A D H E S I V E S D A E F S
V G R O J N N E B U L O U S S I I B Q U U
M H P C H S P F I D I O T I C T O L F L I
A G Y E D I S C R E E T B W A I S E C U X
V F B N C D I S G U S T E D R V E Y B E D
S H T T H I I G P Y R D V P E E R P M F R
M T S D U O H O F I R S T Q D Z U Z C E Y
K B M S B U Z D N I P S A E L A S T I C W
B H E J B S K L V Q Q Y H A L T I N G P V
L V R W Y I V Y L J K G N C G G N K H Z I
U K E M F W R I E X B C Q O P A R T J W C
```

CLOUDY, CALCULATING, MATURE, AVAILABLE, DISCREET, OUTRAGEOUS, ELASTIC, LYING, INNOCENT, ASPIRING, IDIOTIC, GRANDIOSE, CHUBBY, DRUNK, INQUISITIVE, SCARED, SECOND, INSIDIOUS, DISGUSTED, HALTING, THANKFUL, STRANGE, MERE, DRY, ADHESIVE, CAGEY, WAITING, FIRST, NEBULOUS, GODLY

```
E A D F S E G U L L I B L E T P G A M Q H
L V I I P R L G E R B X T A B K T C H X F
A A F R I Z Y C X E Y B H I L A R I O U S
S I F S C V I D P M I N Q U I S I T I V E
T L E T U J N M V C N F A D C K T E Q A O
I A R P D R G O X Z E A D R A G Y F E K L
C B E C A G E Y Y B B W H U L R O Z V L E
I L N I N S I D I O U S E N C M Q O N X P
E E T H A N K F U L S S K U A V R T Q H
M A L E H W O B T X O W I H L R F V X M Z
R H O U T R A G E O U S V D A Q A G H E S
B D G W I Z E F R E S V E M T A S R A R A
F S Z L C H I G H F A L U T I N C A N E D
C L O U D Y F A J T P Q S L N A I N D Y H
D G J O S D I S G U S T E D G V N D S O U
K H X E E V M X D S C A R E D Z A I O S Q
W C F V C U P A L E R H G S S U T O M M S
V Z C O O X G O D L Y K Z X G M E S E V A
F F Z Z N N G J P K H J P C N G D E L R D
Q Z N E D E X V E L J T S O P J Y J Y H B
B I D I O T I C Z Y Y B F W W V S T F T T
```

GRANDIOSE, CAGEY, LYING, FIRST, PALE, CLOUDY, DRUNK, OUTRAGEOUS, INSIDIOUS, INQUISITIVE, HIGHFALUTIN, MERE, SECOND, SAD, GULLIBLE, MALE, HILARIOUS, NEBULOUS, ELASTIC, AVAILABLE, GODLY, IDIOTIC, FASCINATED, CALCULATING, DISGUSTED, THANKFUL, DIFFERENT, ADHESIVE, HANDSOMELY, SCARED

```
M  A  P  P  D  I  V  Y  C  M  A  L  E  T  K  Q  B  Q  X  H  G
P  R  L  B  Z  H  K  T  H  C  Z  O  H  I  L  A  R  I  O  U  S
X  L  G  U  M  C  A  G  E  Y  M  I  U  S  D  C  Y  A  T  L  K
C  K  U  P  Q  D  I  F  F  E  R  E  N  T  G  A  E  I  K  B  I
L  I  L  P  O  U  T  R  A  G  E  O  U  S  U  N  S  E  V  D  N
N  N  L  S  A  D  Q  A  W  L  I  M  Q  R  G  C  C  V  J  I  S
M  N  I  Z  L  C  H  Z  T  Y  F  O  K  U  K  W  A  D  X  S  I
L  O  B  I  N  Q  U  I  S  I  T  I  V  E  O  I  R  C  Z  C  D
U  C  L  Y  D  M  K  Y  R  N  K  V  T  P  N  F  E  T  H  R  I
B  E  E  S  Q  V  W  T  B  G  E  I  H  O  G  Z  D  F  X  E  O
R  N  X  E  L  A  S  T  I  C  D  D  I  W  H  U  Q  H  T  E  U
V  T  B  A  R  U  I  A  G  E  R  I  D  E  L  G  J  A  G  T  S
R  M  F  I  R  S  T  D  O  P  U  O  E  R  R  R  Y  L  D  D  E
V  K  I  H  A  Y  M  U  D  P  N  T  O  F  D  A  J  T  Q  M  Y
P  I  Y  K  D  Y  I  H  L  P  K  I  U  U  G  N  Z  I  L  P  N
N  A  W  G  H  W  M  Y  Y  W  T  C  S  L  I  D  P  N  X  Y  V
O  A  Z  Q  E  N  E  B  U  L  O  U  S  C  D  I  Y  G  X  W  Q
E  R  I  Q  S  S  R  W  A  I  T  I  N  G  A  O  B  G  L  U  H
M  O  I  Y  I  L  E  A  S  P  I  R  I  N  G  S  Y  B  F  L  C
H  Z  E  G  V  M  A  T  U  R  E  V  B  R  H  E  E  F  S  J  M
Z  K  Q  T  E  Z  A  V  A  I  L  A  B  L  E  M  U  I  V  P  N
```

HILARIOUS, OUTRAGEOUS, SAD, INNOCENT, ELASTIC, AVAILABLE, ADHESIVE,
NEBULOUS, GULLIBLE, GODLY, DRUNK, GRANDIOSE, LYING, SCARED, DISCREET,
MERE, HALTING, FIRST, INQUISITIVE, HIDEOUS, INSIDIOUS, CAGEY, POWERFUL,
MALE, MATURE, ASPIRING, DIFFERENT, IDIOTIC, WAITING

```
S E C O N D W Q I R Z U N S R R V C P Q S
X D O A E L A S T I C K V Q U O R G W W P
C E A P I M Q C L O U D Y V A J S R L E V
M L B S N I E S Q A R O M A T I C J V W S
H I C Z S D L Y R G N W W H D R Y N L Y A
A G V H I I S T R A N G E P L R L N C U R
L H W J D S Z C O M M O N T J B M H G V Y
T T L L I G D H H Z J N S F G L J A Q K H
I F H I O U R U M A Q T W A I T I N G Q D
N U A U U E U B N G N L I S E L Q D L O I
G L C T S L N B U J V L W C U G C S X L S
Q M A L E S K Y N I C Y N I Y O A O V R G
G B G R O O V Y I Q T U M N E D A M D P U
B L O F D I F F E R E N T A I L V E I O S
J T H A N K F U L J V F Q T N Y A L S P T
P U W L H I L A R I O U S E K R I Y C E E
L N C A L C U L A T I N G D Z O L V R P D
S C A R E D G Z D O O G C X E N A F E X C
H Y S X X E N E B U L O U S K H B O E Q U
M I N N O C E N T B T T V L I O L Q T U A
M P A L E K G Z I P V T L E T W E Z L B W
```

FASCINATED, CHUBBY, INNOCENT, SECOND, CALCULATING, ELASTIC, DRUNK,
AVAILABLE, DISGUSTED, PALE, DIFFERENT, NEBULOUS, GROOVY, INSIDIOUS, MALE,
STRANGE, WAITING, HILARIOUS, COMMON, SCARED, DRY, GODLY, DISCREET,
HANDSOMELY, DELIGHTFUL, THANKFUL, AROMATIC, HALTING, CLOUDY

```
U  G  Z  K  Y  Z  G  F  E  I  T  A  D  H  E  S  I  V  E  P  H
K  Z  B  C  S  W  L  H  L  N  P  C  O  A  J  U  N  Y  O  L  A
X  D  C  L  O  U  D  Y  A  N  O  Y  S  P  Y  M  S  K  U  V  L
A  R  E  P  Y  D  R  J  S  O  V  K  Q  O  G  F  I  R  Q  H  T
V  U  N  P  F  L  J  A  T  C  S  L  P  W  M  K  D  X  R  I  I
A  N  M  S  F  U  M  Y  I  E  R  N  H  E  L  Y  I  N  G  G  N
I  K  A  S  M  E  R  E  C  N  G  I  C  R  T  D  O  Y  O  H  G
L  Z  T  V  C  C  F  V  A  T  D  R  Y  F  V  F  U  H  Q  F  Y
A  I  U  D  A  S  P  I  R  I  N  G  W  U  C  E  S  A  V  A  I
B  B  R  I  P  S  A  D  W  L  O  W  K  L  Y  X  I  N  Q  L  A
L  F  E  S  W  Q  U  T  H  A  N  K  F  U  L  O  W  D  I  U  R
E  T  B  G  A  C  A  L  C  U  L  A  T  I  N  G  F  S  G  T  E
P  Q  A  U  C  G  C  Q  J  I  D  I  O  T  I  C  Y  O  S  I  Y
L  F  J  S  A  H  I  L  A  R  I  O  U  S  B  W  E  M  C  N  I
H  X  R  T  G  R  A  N  D  I  O  S  E  T  X  A  R  E  A  H  B
S  G  O  E  P  N  E  B  U  L  O  U  S  E  K  I  R  L  R  U  B
N  G  Z  D  J  F  M  A  L  E  T  P  T  Y  I  T  Y  Y  E  S  O
B  Y  W  N  F  B  X  F  H  I  D  E  O  U  S  I  U  E  D  T  O
Y  K  M  B  Z  K  S  C  A  G  E  Y  J  V  U  N  U  U  W  I  A
A  A  X  P  A  L  E  Z  Q  M  I  L  N  F  X  G  E  I  J  L  K
M  Z  S  T  J  J  Q  H  Q  Z  S  W  X  E  T  U  D  Y  Z  O  V
```

LYING, IDIOTIC, DISGUSTED, WAITING, ASPIRING, MATURE, HILARIOUS, GRANDIOSE, INNOCENT, INSIDIOUS, HANDSOMELY, AVAILABLE, CLOUDY, HALTING, PALE, MALE, ELASTIC, HIGHFALUTIN, HIDEOUS, SAD, CAGEY, THANKFUL, DRY, ADHESIVE, POWERFUL, MERE, CALCULATING, DRUNK, SCARED, NEBULOUS

```
D E H N A A Z R H M E Y A P K Y L O U W L
R A A N I H E N G B V O J M W S C H K B Z
Y P L O D X L Z E T R G Z H P G V M H R Y
Q C T U I S A W E Y Y V E T N U P G H R V
Y D N R T L T S Y H I L A R I O U S C K V
S T G A I U I N Q U I S I T I V E T W A N
L W A G C W C P N D H V V U J D H F A L Y
U X L E A W J T E X A U K A S P I R I N G
I N N O C E N T B M N G V I H M N T T M T
V H L U O T M G U W D D W F I R S T I P H
S N K S E L Y O L O S P D D G F I J N O A
N M X C E Y V D O X O O A I H A D W G Z N
Y A R R R I L L U E M W V S F S I S K C K
L L I N N M Y S C E E A C A C O T L H F
L E T G I G V Z S G L R I R L I U R W U U
C S C A G E Y L J Q Y F L E U N S A I B L
M L V D W E R M R I J U A E T A W N D B H
E Q D S E C O N D T D L B T I T D G J Y H
R D I F F E R E N T J F L H N E P E U E K
E I A N H I D E O U S N E G X D H M I S O
```

GODLY, OUTRAGEOUS, FIRST, HALTING, AVAILABLE, POWERFUL, MERE, CAGEY,
HILARIOUS, HANDSOMELY, THANKFUL, INQUISITIVE, INSIDIOUS, STRANGE,
DIFFERENT, DISCREET, INNOCENT, ASPIRING, WAITING, HIGHFALUTIN, SCARED,
FASCINATED, MALE, LYING, SECOND, NEBULOUS, CHUBBY, IDIOTIC, HIDEOUS,
ELASTIC

```
Y V V P W A I T I N G A N B C A L P N N H
S D D I X N D I F F E R E N T X K O F E I
I E H N H Y O W P F I S C A R E D W B B L
Z L E S E G T A L D B C W I A C H E K U A
A I E I N F M A T U R E A N A J Q R Q L R
D G B D U H S X Y H F J V N L C T F L O I
H H Q I C A S A D I A C A O L G B U E U O
E T C O G N F Y B G S S I C L Q W L T S U
S F O U I D R H A H C A L E L F M E R E S
I U M S G S A H D F I S A N T S J K N N Z
V L M K R O L O W A N P B T S T R A N G E
E A O C O M Y L W L A I L T H A N K F U L
B R N Z O E I M N U T R E A F Q Z S Z N A
D R Y E V L N B L T E I J Y I E D E I G C
K U C E Y Y G L G I D N C O R U B M B V Q
H A L T I N G O A N G G O S S L I Z U O I
X S G R A N D I O S E O H V T H V X O C H
H T X G X C C G I A O U T R A G E O U S I
Z W W P A W A R H O X G S Z S I L L B V Y
B R H N M P C D A Y W Q L S M G W G R I P
U G U K R O C A L C U L A T I N G W T U A
```

ADHESIVE, OUTRAGEOUS, DELIGHTFUL, GROOVY, WAITING, LYING, MERE, CALCULATING, DRY, SCARED, INSIDIOUS, AVAILABLE, MATURE, THANKFUL, FIRST, SAD, GRANDIOSE, COMMON, DIFFERENT, HIGHFALUTIN, FASCINATED, HALTING, STRANGE, ASPIRING, HANDSOMELY, INNOCENT, BAD, NEBULOUS, HILARIOUS, POWERFUL

```
J  T  U  X  I  D  I  O  T  I  C  E  T  D  P  J  X  I  Q  X  B
Y  M  V  C  I  T  C  O  R  C  S  A  Y  R  S  Q  I  S  W  B  S
I  N  N  O  C  E  N  T  A  H  T  D  P  U  L  E  N  W  O  N  G
N  D  E  R  A  N  G  E  D  V  W  R  I  N  G  A  S  N  E  Q  A
Y  M  M  C  H  T  B  H  E  F  B  Y  L  K  E  D  I  Y  E  D  V
R  M  G  H  F  N  Z  I  D  B  W  J  O  U  N  I  D  C  Y  J  A
B  I  G  I  S  Z  C  L  O  U  D  Y  C  L  E  S  I  H  O  R  I
M  C  O  D  Y  F  J  A  H  L  Y  I  N  G  R  C  O  U  K  H  L
E  E  L  E  Q  H  E  R  A  N  G  C  W  V  A  R  U  B  N  I  A
R  G  K  O  P  A  L  I  N  E  O  C  D  T  L  E  S  B  H  G  B
E  R  P  U  A  L  A  O  D  B  D  X  I  V  R  E  Q  Y  Q  H  L
G  A  O  S  L  T  S  U  S  U  L  J  S  Y  H  T  F  Q  Y  F  E
F  N  W  H  E  I  T  S  O  L  Y  P  G  B  F  S  A  D  U  A  R
T  D  N  Q  G  N  I  K  M  O  S  L  U  L  P  B  G  W  H  L  M
A  I  V  W  A  G  C  U  E  U  Z  X  S  T  H  A  N  K  F  U  L
Z  O  C  L  U  Y  I  W  L  S  T  T  T  N  A  A  B  I  U  T  Z
I  S  M  Y  T  W  C  F  Y  T  W  T  E  Q  Y  K  N  E  T  I  J
D  E  L  I  G  H  T  F  U  L  J  C  D  G  G  J  P  J  T  N  J
A  D  H  E  S  I  V  E  Z  E  U  L  F  S  T  Z  Z  W  W  B  A
R  X  G  U  L  L  I  B  L  E  Q  M  B  F  J  B  I  C  N  A  Y
I  Y  L  H  Q  L  C  Z  B  M  T  U  A  N  B  A  M  A  L  E  H
```

HIDEOUS, HILARIOUS, HALTING, AVAILABLE, HIGHFALUTIN, DISGUSTED, THANKFUL, HANDSOMELY, GENERAL, DERANGED, MALE, GRANDIOSE, DRUNK, CLOUDY, INNOCENT, INSIDIOUS, NEBULOUS, IDIOTIC, GULLIBLE, DELIGHTFUL, CHUBBY, LYING, PALE, DISCREET, SAD, MERE, DRY, GODLY, ADHESIVE, ELASTIC

```
V K A D H S W H Q V D S A D A E U E B A A
C K U W D M E R E Z I Q B F S L C P B Z M
H I D E O U S T C A S T D A I A G T X A Z
R F B T M P B N H R C Y I S B S S W Q A M
U H I L A R I O U S R U S C O T U X L C A
N E B U L O U S B T E F G I K I O R U L T
A D H E S I V E B T E Z U N R C Y N Z O U
B D T T A Y L P Y O T O S A I Z X J L U R
Q L H S R P G L X C M F T T S E C O N D E
D H A I O P O C S Z A G E E A O Q U H Y O
F Q N W M E D U X Y U P D D M F H B S I I
W I K T A T L X O S M A I X T P I T T F O
Q Z F U T B Y A V A I L A B L E G V R A Z
T F U D I T F S C A R E D F L N H F A X D
G O L R C U B H T W A I T I N G F J N Q X
N D D Q G I N S I D I O U S H F A N G Q B
C R D I F F E R E N T E H S C D L C E U C
E Y I N Q U I S I T I V E H U K U U Z A V
V C E D E Z T I I N N O C E N T T K F G H
E T C C A L C U L A T I N G Q L I A K L S
U X E O Q K I T G U L L I B L E N M A M P
```

HIGHFALUTIN, CLOUDY, MERE, SAD, GODLY, DISGUSTED, STRANGE, WAITING, AROMATIC, INQUISITIVE, CHUBBY, PALE, FASCINATED, HILARIOUS, THANKFUL, ELASTIC, INNOCENT, DRY, DISCREET, SECOND, DIFFERENT, ADHESIVE, MATURE, CALCULATING, INSIDIOUS, SCARED, AVAILABLE, GULLIBLE, HIDEOUS, NEBULOUS

O E Y B E O M N E B U L O U S K C E P R N
X N C A L F A L I V A S U W F C A G E Y J
X X Z S M Y T Y W W V R J C A G R O O V Y
I L S P Y S U N A A A L Y A S C L O U D Y
V P N I U O R F O I I N L L C K D T O G D
V D L R M R E E W B L B S C I R I W U S I
R I Q I S C D O I T A B R U N S F S T I S
G I N N O C E N T Y B N R L A Q F K R K R
N I B G N H H G O D L Y S A T Q E R A C R
E L G A Y F I R S T E F C T E P R D G H E
X H I L A R I O U S X Y D I D A E R E U E
I H N K P X L U P S E C O N D L N B O B T
X C S V O K H L O W B P C G A E T F U B A
H K I I R D E A W E D U T V A S A D S Y Y
T G D D R U N K E L A K M D M H T B C Z S
S N I A B T T F R A F O K F W A I T I N G
G G O Q W F L A F S B A R O M A T I C M Q
O E U Z Q L V Z U T M D L W I D I O T I C
E Z S X N S D E L I G H T F U L M R U V D
J R A P Z X X R J C H I D E O U S W T L N
W W C H E G H U S S T R A N G E M K J N Z

AROMATIC, POWERFUL, CHUBBY, WAITING, DRUNK, STRANGE, AVAILABLE, MATURE, DISCREET, SAD, FASCINATED, ASPIRING, NEBULOUS, CAGEY, HILARIOUS, GROOVY, FIRST, ELASTIC, INNOCENT, OUTRAGEOUS, IDIOTIC, DELIGHTFUL, CLOUDY, CALCULATING, DIFFERENT, GODLY, INSIDIOUS, PALE, HIDEOUS, SECOND

```
M D I S C R E E T U O S V A R I D T K I U
K R Y M K F C L O U D Y G O N J I P D N G
M Q L W P F I R S T J K W L P S D E I Q R
I D Q B W D U B C X I D H Y E Q I L S U L
A R A D H E S I V E W O M I Q W O Y G I V
Y G S N E B U L O U S A X N V Y T R U S C
T H I G H F A L U T I N X G M Z I H S I A
R W T H A N K F U L Z Q D Z Z U C R T T L
L I V H R D N D O R P O W E R F U L E I C
S F K J Z I G S U H I L A R I O U S D V U
A F Y B F W O C T B N E Q P O R V A C E L
K P X C A O R V R G N L A S P I R I N G A
J H P A S B Y Z A O O A D W H G T Q W N T
E G E V C M S B G D C S I Z L G O L N T I
H J S A I F S S E L E T W A I T I N G O N
A J W I N M T C O Y N I N S I D I O U S G
L X C L A V R O U A T C Y M E R E U E O U
T P W A T S A M S H H C D I F F E R E N T
I B O B E R N C H U B B Y I C B Z E B T B
N V J L D V G U Y V D R Y N C G G L Z O W
G K N E E Y E S B P A L E E Q L J R Z J U
```

AVAILABLE, CLOUDY, GODLY, HALTING, INNOCENT, INSIDIOUS, THANKFUL, LYING,
NEBULOUS, POWERFUL, HILARIOUS, DISCREET, FASCINATED, CHUBBY, DRY,
STRANGE, ADHESIVE, PALE, CALCULATING, ASPIRING, IDIOTIC, ELASTIC,
INQUISITIVE, FIRST, OUTRAGEOUS, HIGHFALUTIN, DISGUSTED, DIFFERENT,
WAITING, MERE

```
H T H A N K F U L C V X F H L J P M X K Q
H A L T I N G F M A S S B I E G P G O B F
H Q Z E Q D D L A L X C Y L Q L R W I F N
Z G O D L Y N I V C N A V A F L C U H D L
E H E G A R D D A U L R O R L I L J I D M
A I I M E R E D I L M E K I E C O B D L W
W G N F L Z C E L A X D K O B T U K E C J
N H Q K A R O M A T I C N U F X D A O D D
H F U T R V V D B I X C U S H R Y U U C I
X A I C Z L D R L N C O M M O N L M S E S
G L S V R R K U E G R D I F F E R E N T G
N U I M G V P N K B Y E L A S T I C J F U
O T T U U I D K N F D E L I G H T F U L S
A I I Z L L Y I N G G F P O R V V S Z G T
D N V M L W D C I N N O C E N T R B L S E
H G E A I P O W E R F U L D N E G H V F D
E F V T B A D K B Z W P B P L N W D J S J
S S N U L N D R Y Q K L K E Y S D X Y W J
I J K R E J F A S C I N A T E D H I Q Q K
V G Q E J D C A G E Y G F S Z S V C M D J
E I V W M F N P D L F R S T R A N G E E S
```

INNOCENT, LYING, AVAILABLE, GULLIBLE, AROMATIC, HALTING, POWERFUL,
STRANGE, SCARED, CLOUDY, ADHESIVE, CAGEY, BAD, MERE, DIFFERENT, HIDEOUS,
MATURE, DRUNK, CALCULATING, DRY, ELASTIC, DELIGHTFUL, GODLY, FASCINATED,
COMMON, DISGUSTED, THANKFUL, INQUISITIVE, HIGHFALUTIN, HILARIOUS

```
F  X  E  F  F  F  D  F  J  H  H  I  G  H  F  A  L  U  T  I  N  F
X  H  J  S  A  F  G  E  U  O  N  B  U  N  D  I  K  W  Q  T  Z
E  I  V  A  L  J  L  B  R  I  S  Q  W  M  C  L  O  U  D  Y  C
N  G  P  W  E  Y  W  W  U  H  I  A  T  Z  Q  W  C  A  G  E  Y
A  U  Q  W  N  H  Y  M  L  V  D  T  M  D  G  U  Q  H  E  V  I
A  L  R  G  Q  L  K  V  O  E  I  G  D  R  U  N  K  N  O  M  P
P  L  V  A  L  H  X  D  U  A  O  P  O  W  E  R  F  U  L  E  A
P  I  V  D  F  I  M  K  T  S  U  Y  C  D  G  A  E  O  M  R  R
U  B  W  H  A  L  A  J  R  P  S  O  J  C  C  K  A  W  V  E  O
H  L  J  E  S  A  T  O  A  I  L  Y  I  N  G  A  S  C  D  H  M
V  E  C  S  C  R  U  A  G  R  Q  A  V  A  I  L  A  B  L  E  A
K  D  D  I  I  I  R  I  E  I  S  E  C  O  N  D  R  J  F  N  T
D  Z  I  V  N  O  E  V  O  N  B  C  G  P  A  A  O  I  U  F  I
R  V  S  E  A  U  R  D  U  G  S  H  A  L  T  I  N  G  Y  G  C
Y  V  C  P  T  S  L  S  S  L  C  A  L  C  U  L  A  T  I  N  G
V  R  R  X  E  Y  B  A  X  L  F  N  H  C  T  O  F  K  M  S  G
F  L  E  X  D  B  A  D  O  X  B  H  A  N  D  S  O  M  E  L  Y
E  X  E  J  R  I  N  F  B  Y  Z  Z  V  V  X  P  B  B  Y  Y  V
F  V  T  A  I  N  N  O  C  E  N  T  J  J  Z  A  R  M  I  S  S
I  N  Q  U  I  S  I  T  I  V  E  M  F  L  Z  L  O  A  O  F  A
L  X  T  E  U  S  D  I  C  F  E  E  Q  R  H  E  E  A  N  B  S
```

MERE, AVAILABLE, CAGEY, CALCULATING, HANDSOMELY, HILARIOUS, INQUISITIVE, DRUNK, INSIDIOUS, DRY, GULLIBLE, SECOND, AROMATIC, MATURE, SAD, OUTRAGEOUS, ASPIRING, POWERFUL, HALTING, DISCREET, PALE, CLOUDY, FASCINATED, ADHESIVE, LYING, INNOCENT, HIGHFALUTIN

```
D S M A R O M A T I C K H Y W O C H C K F
X F J H A D D D W A I T I N G E U V W L A
D P J F D M V H A V A I L A B L E G T N B
G O D L Y Q E E T E H L A F U X Q V Q F F
M F Q M S L N S N O R E R Q D W X R S W H
K S C W E Y D I D R Y L I W D K R Z I E J
R I A D B I P V Y D C A O G R C H U B B Y
F Y L G J N M E M E B S U U U U Y A S A D
T E C R L G A F V G B T S D N K K P A L E
O G U A J O T Q E E G I M F K P C I R X M
U J L N I Q U T Q F X C I N S I D I O U S
T K A D N L R K M H M Z M T R U T T J M I
R D T I N L E H A N D S O M E L Y M S L D
A I I O O F M A U Y K S T R A N G E N C I
G S N S C F N S B V P O W E R F U L E J O
E C G E E D I F F E R E N T D L A B B R T
O R N U N V U J G P T E V H I D E O U S I
U E Y W T A I W J W G Z Q P H S Y J L H C
S E S E C O N D S B S X K P X C J I O X M
J T F A S C I N A T E D C V L W W R U Z M
C W T N C L O U D Y R R I R I Z J A S F Y
```

MATURE, HANDSOMELY, INNOCENT, DISCREET, HILARIOUS, ELASTIC, GRANDIOSE, FASCINATED, DRY, CLOUDY, LYING, ADHESIVE, GODLY, AROMATIC, SAD, STRANGE, SECOND, INSIDIOUS, DIFFERENT, CALCULATING, WAITING, DRUNK, HIDEOUS, AVAILABLE, POWERFUL, CHUBBY, IDIOTIC, NEBULOUS, OUTRAGEOUS, PALE

```
M  E  D  R  X  Q  E  E  S  T  R  A  N  G  E  Q  N  Y  C  F  H
M  L  Y  C  S  C  A  R  E  D  H  I  F  P  E  W  B  Y  L  P  V
A  A  Z  C  H  V  S  W  S  R  I  N  M  A  L  E  O  B  O  F  O
T  S  K  I  D  F  X  Q  A  H  G  Q  L  G  H  Y  W  W  V  U  A  P
U  T  A  X  N  B  Y  Q  D  L  H  U  O  F  P  N  Z  I  D  S  O
R  I  Q  M  E  Y  L  I  T  J  F  I  M  T  I  Q  T  N  Y  C  W
E  C  H  T  B  J  U  F  D  Y  A  S  K  J  U  C  Z  N  L  I  E
V  F  N  H  U  E  B  G  U  L  L  I  B  L  E  R  D  O  K  N  R
Y  J  G  A  L  G  A  K  R  B  U  T  L  Y  I  N  G  C  Y  A  F
K  P  R  N  O  Z  V  M  D  U  T  I  D  P  A  L  E  E  Z  T  U
Z  F  A  K  U  H  A  P  N  O  I  V  M  E  R  E  R  N  E  E  L
D  Q  N  F  S  N  I  H  J  I  N  E  H  B  K  E  L  T  G  D  I
A  H  D  U  P  F  L  I  H  A  N  D  S  O  M  E  L  Y  O  M  V
S  I  I  L  Z  I  A  L  T  H  H  B  M  Z  E  S  T  V  V  Z  K
G  J  O  F  D  R  B  A  M  P  C  E  H  A  L  T  I  N  G  L  P
D  U  S  U  R  S  L  R  N  A  S  P  I  R  I  N  G  G  R  H  I
U  T  E  L  G  T  E  I  T  F  G  G  H  D  I  S  C  R  E  E  T
Z  Y  O  Q  M  W  P  O  X  T  V  N  K  L  H  I  D  E  O  U  S
C  B  D  O  H  I  L  U  Y  V  V  K  A  D  H  E  S  I  V  E  R
F  D  R  U  N  K  O  S  N  X  E  J  J  C  X  T  N  G  K  U  H
T  T  F  C  A  L  C  U  L  A  T  I  N  G  D  T  S  M  Z  D  W
```

CALCULATING, GRANDIOSE, AVAILABLE, INQUISITIVE, THANKFUL, HILARIOUS, FASCINATED, SAD, NEBULOUS, CLOUDY, ELASTIC, SCARED, DRUNK, ASPIRING, LYING, DISCREET, GULLIBLE, MALE, STRANGE, HANDSOMELY, FIRST, MATURE, HALTING, HIGHFALUTIN, POWERFUL, INNOCENT, ADHESIVE, PALE, MERE, HIDEOUS

```
U V A Q B L U S R G J A G R F I R S T I E
M D I I U W Z D I S C R E E T K D M T L E
K N E B U L O U S C G J U M Q C R O H E M
A O B P O W E R F U L Y O J Y O Y R T L Y
H V G B Z C X J H K M A T U R E O G X R U
J I W R A A O B Q F G U L L I B L E L J T
O B O E T L V J T T S W A I T I N G G K Q
G V N K X C L X L K N O T T Y A I U K A S
V F X W O U D H Z N S C D I F F E R E N T
A A F D I L M A S T R A N G E Y N Z H Z D
D S I V E A H L T H A N K F U L N I I W I
K C N S N T J T C X G E N E R A L D G V S
K I N A C I D I X N X X P P M S P I H H G
M N O D O N N N C T L U A H C W W O F B U
C A C O F G J G L F Y X L Y H J F T A S S
G T E Z A D H E S I V E E X U Q L I L R T
T E N W C B F T D R U N K Y B F R C U T E
E D T M A L E M O N W I Q I B H H M T G D
A P X Q B B N B A D V U D K Y T X S I L F
J F L Q H O H I N Q U I S I T I V E N D Z
J O C C P Q E N Z S Y S E C O N D Z T F N
```

THANKFUL, WAITING, INQUISITIVE, MATURE, GULLIBLE, BAD, INNOCENT, DIFFERENT, NEBULOUS, HALTING, DISGUSTED, KNOTTY, GENERAL, DRY, DISCREET, CHUBBY, FIRST, HIGHFALUTIN, IDIOTIC, POWERFUL, PALE, FASCINATED, MALE, ACID, SAD, DRUNK, SECOND, CALCULATING, STRANGE, ADHESIVE

```
Q Z U Q P A L E R O Q W F U I I N X Y S W
L Q X P D R Y H R Q U C H Q G Y Y B L U X
R L D Z T I N S I D I O U S P R M X G O Z
S E L A S T I C A G C V T T N P D R U U Y
D I T H U I D I O T I C Y V M O M E C T W
G Z V X Y A I A E E C L O U D Y R E A R U
F B U C H A L T I N G T S R I H A J G A G
A Y R N I N Q U I S I T I V E I V L E G Q
S A D V C K X W C X S Q W C G G A K Y E N
C S D W D I S G U S T E D I D H I F W O F
I H P O W E R F U L H G D E I F L O J U I
N I F A Y N A R O M A T I C F A A X T S R
A L P V X R B P U B N G Y Q F L B C H F S
T A G O D L Y H H D D R S F E U L A K M T
E R C H U B B Y I R S A C M R T E S G E C
D I S C R E E T D U O N A Q E I T P F G Y
V O S T R A N G E N M D R H N N K I L J P
P U M S H X K K O K E I E N T K B R Y C S
R S T H A N K F U L L O D C Y I X I L V I
E E N X Z L D C S Q Y S B A B J M N I V I
X U Y L T V C E Z Z P E Z O I P O G Q Y Y
```

AVAILABLE, SAD, CAGEY, IDIOTIC, CHUBBY, PALE, DIFFERENT, INQUISITIVE, HILARIOUS, AROMATIC, OUTRAGEOUS, CLOUDY, STRANGE, ASPIRING, DISGUSTED, INSIDIOUS, FIRST, HIGHFALUTIN, GRANDIOSE, ELASTIC, HALTING, HIDEOUS, HANDSOMELY, DISCREET, FASCINATED, DRUNK, GODLY, THANKFUL, POWERFUL, SCARED

```
V Y L B P G G H H I G H F A L U T I N M J
R B Z Y M G I I I D I F H I I Y O O R H H
G R A N D I O S E B G S C N F H O A B W A
G O D L Y R M I K O K T T Q P I T D Z M N
U A G W X P N G L J U R L U M D T H I C D
B U G H K G A H K X H A C I V E V E R J S
S I N S I D I O U S I N L S Z O Z S V N O
C T H A N K F U L X L G O I A U L I C P M
A A N D O W T L I C A E U T J S W V A I E
R Q G F D G S Q C H R K D I M A L E G D L
E D I S C R E E T U I N Y V C J X H E I Y
D F N U M Z R P J B O Y I E A B H P Y O F
D R U N K A X N T B U U Z D L Q F L C T G
X S M E R E U K T Y S C U V C T A E Z I Y
M R K L R K Z H A L T I N G U L S I S C E
M W A I T I N G Y M O L D B L O P B Q N D
Z A L S E C O N D S R V M O A K I E U A N
F W Y F O U T R A G E O U S T W R Q G G H
Z T I F A S C I N A T E D I I V I Y T N S
K D N I N N O C E N T V P L N S N Q G G G
F B G F G E O Z F U F S E Y G P G V I D Z
```

WAITING, CAGEY, INNOCENT, HALTING, MALE, HIDEOUS, MERE, DISCREET, INSIDIOUS, HANDSOMELY, CALCULATING, SAD, GODLY, STRANGE, HIGHFALUTIN, CHUBBY, DRUNK, OUTRAGEOUS, CLOUDY, GRANDIOSE, IDIOTIC, SCARED, ADHESIVE, ASPIRING, SECOND, INQUISITIVE, FASCINATED, THANKFUL, HILARIOUS, LYING

```
D D G S X X L Y I N G G P H E Y T T E M K
I N R F A S C I N A T E D A L P V K N Y U
S L A A N Q R J F I R S T N A O I U Z I O
C M N T A B H X Z Q Y L U D S W M B C C H
R P D C W A I T I N G M T S T E P B A D I
E P I N O I N M A T U R E O I R G I L I L
E K O L I N S C A R E D C M C F U R C F A
T F S L S Q I L O C C X B E S U L K U F R
H M E R E U D O J P S R W L P L L E L E I
H A E L H I I U P A H F S Y A L I Q A R O
G D E E B S O D C L G O D L Y P B X T E U
D H O Z H I U Y N E R U S A D S L E I N S
E E F Z X T S T C H U B B Y K O E X N T X
J S W H X I H I G H F A L U T I N H G L X
T I B A W V V B K V P K A R E Y V C U M M
Z V A M A E T H A N K F U L J T J A W D A
I E B A D F B Y A O U T R A G E O U S X Z
A Y S L W K Z K O K J C A G E Y B R J V K
V V F E Q M Q P Q W A L X C M Y S E P C J
W P I L C X X P L J R B X C K W D O X T J
D R J L N E B U L O U S Q H N P V A O D Y
```

HIGHFALUTIN, OUTRAGEOUS, INQUISITIVE, POWERFUL, DISCREET, CAGEY, FIRST, DIFFERENT, GODLY, HILARIOUS, MALE, LYING, HANDSOMELY, INSIDIOUS, CALCULATING, FASCINATED, WAITING, SAD, GULLIBLE, MATURE, THANKFUL, CHUBBY, ELASTIC, NEBULOUS, MERE, SCARED, PALE, GRANDIOSE, ADHESIVE, CLOUDY

```
U  K  P  H  N  F  S  G  G  N  G  R  A  N  D  I  O  S  E  E  W
J  W  P  A  G  A  Y  O  D  I  S  G  U  S  T  E  D  K  Y  Q  B
P  J  A  N  X  R  I  D  H  M  F  A  S  C  I  N  A  T  E  D  F
G  N  Y  D  O  O  N  O  T  N  E  R  Z  F  M  A  L  E  R  H  Z
R  H  O  S  X  M  S  S  E  C  O  N  D  I  A  L  O  M  Q  C  G
W  C  U  O  G  A  I  K  H  F  E  X  W  V  I  M  E  R  E  A  O
N  Z  M  M  C  T  D  G  I  F  P  Y  A  N  R  P  G  M  R  L  Q
M  B  U  E  P  I  I  U  L  B  U  C  I  B  S  O  Z  S  P  C  Q
Z  V  M  L  M  C  O  L  A  Y  J  E  T  D  A  W  Z  W  D  U  I
W  S  D  Y  C  Y  U  L  R  T  Y  Z  I  M  D  E  G  O  D  L  Y
C  H  U  B  B  Y  S  I  I  U  E  J  N  O  H  R  I  A  K  A  I
W  A  G  V  T  E  P  B  O  Q  K  A  G  D  F  F  Z  D  K  T  I
Y  I  Q  S  C  X  I  L  U  T  H  A  N  K  F  U  L  B  A  I  H
J  S  C  A  R  E  D  E  S  L  V  Z  F  K  Q  L  X  L  V  N  Q
Z  I  N  N  O  C  E  N  T  Z  R  O  O  D  Y  I  A  I  A  G  E
G  I  D  I  O  T  I  C  Z  G  U  N  N  C  X  D  C  F  I  G  N
A  N  Z  O  J  L  Y  I  N  G  M  F  J  Z  B  R  C  I  L  R  J
M  Z  A  D  H  E  S  I  V  E  O  K  K  L  O  G  A  R  A  D  N
M  O  O  U  T  R  A  G  E  O  U  S  C  A  F  M  G  S  B  L  Z
N  E  N  T  N  Z  T  V  Q  T  H  D  R  Y  I  X  E  T  L  C  E
U  O  A  G  C  L  O  U  D  Y  H  H  F  W  K  D  Y  N  E  S  Q
```

SAD, MERE, GULLIBLE, SECOND, MALE, AROMATIC, FASCINATED, LYING, ADHESIVE, SCARED, DRY, THANKFUL, POWERFUL, FIRST, HANDSOMELY, IDIOTIC, HILARIOUS, INSIDIOUS, CLOUDY, AVAILABLE, DISGUSTED, OUTRAGEOUS, CHUBBY, INNOCENT, CALCULATING, GRANDIOSE, WAITING, GODLY, CAGEY

V P O Z L Y V M C A G E Y I F M C G B F Z
X H A N D S O M E L Y P P W M G T Q L P W
H G U L L I B L E R G L A W W W J L T I I T
F L T G G W L S Y D O B L V K J N Z A N H
B K D B O H A L T I N G E K J R N J D N A
L Q I N D Y T E X H I D E O U S M Y H O N
Q B S I L I N Q U I S I T I V E R N E C K
K H G C Y W A I T I N G R E P P O V S E F
T I U A W X X D H J H M A L E N U R I N U
S L S N D C D R U N K P H X N T H V T L
C A T C L O U D Y X Q U G I Z E R B E F B
A R E O A V A I L A B L E G I B A O V U P
R I D D Q D P Y J F N S W H H U G M E L H
E O J I E K B B P O W E R F U L E V S W P
D U M F D B C U D A G K U A T O O M E R E
I S A F S S E C O N D E W L R U U E H U M
S Y D E G R A N D I O S E U E S S N Z J S
J B M R P F N D L Y I N G T S X T R S R U
K M B E A R A I M V E W L I X E I M V W K
V P O N R A S P I R I N G N K O B S G Z N
V B B T C H U B B Y Q I X G V Y Y W J W V

HIDEOUS, HANDSOMELY, AVAILABLE, HIGHFALUTIN, GRANDIOSE, DIFFERENT, PALE, POWERFUL, SCARED, NEBULOUS, THANKFUL, CHUBBY, ASPIRING, MERE, CLOUDY, GULLIBLE, LYING, MALE, CAGEY, OUTRAGEOUS, SECOND, INNOCENT, HILARIOUS, ADHESIVE, GODLY, DISGUSTED, WAITING, HALTING, DRUNK, INQUISITIVE

```
B  H  T  J  T  T  D  M  I  T  H  D  E  P  T  K  V  Z  F  V  U
P  T  H  A  N  K  F  U  L  F  Q  C  S  W  V  M  Q  H  J  J  S
W  L  A  A  F  W  S  R  H  Q  K  A  T  V  W  M  R  F  S  D  E
A  M  Y  T  P  V  L  D  A  Z  A  L  R  R  J  A  D  J  X  R  F
I  Q  M  C  J  D  Y  P  N  J  S  C  A  M  A  T  U  R  E  Y  R
T  Q  A  H  X  I  I  K  D  I  P  U  N  A  D  H  E  S  I  V  E
I  H  L  U  S  S  N  S  S  N  I  L  G  H  I  D  E  O  U  S  W
N  Q  E  B  F  C  G  E  O  N  R  A  E  Q  I  Q  D  R  U  N  K
G  S  S  B  Z  R  X  C  M  O  I  T  V  J  N  F  Y  U  Q  I  U
D  A  R  Y  W  E  Z  O  E  C  N  I  Z  E  Q  A  N  H  K  T  T
B  D  D  Y  J  E  P  N  L  E  G  N  Z  L  U  S  C  C  G  Q  O
P  A  L  E  H  T  P  D  Y  N  N  G  S  C  I  C  X  O  O  E  U
P  A  F  T  Y  W  K  N  L  T  V  E  P  U  S  I  I  M  D  U  T
J  N  G  I  N  S  I  D  I  O  U  S  P  C  I  N  P  M  L  Y  R
A  V  A  I  L  A  B  L  E  V  N  K  T  D  T  A  C  O  Y  V  A
N  U  L  H  S  P  G  G  J  Z  H  C  G  F  I  T  A  N  T  T  G
P  W  I  G  T  K  P  U  E  D  B  Y  A  I  V  E  G  L  N  V  E
D  I  B  U  M  Y  H  U  L  L  K  D  M  R  E  D  E  M  X  L  O
I  C  W  J  Z  L  M  Q  U  N  W  S  K  S  C  E  Y  E  M  Y  U
D  I  S  G  U  S  T  E  D  O  Q  O  A  T  D  M  S  Z  C  J  S
G  M  Q  G  S  R  Z  T  R  Z  G  R  A  N  D  I  O  S  E  V  S
```

STRANGE, THANKFUL, DISCREET, ADHESIVE, HIDEOUS, DRUNK, AVAILABLE,
CALCULATING, MATURE, FIRST, HANDSOMELY, INQUISITIVE, FASCINATED,
DISGUSTED, COMMON, INSIDIOUS, PALE, CAGEY, GODLY, OUTRAGEOUS, ASPIRING,
SECOND, CHUBBY, DRY, MALE, INNOCENT, WAITING, LYING, SAD, GRANDIOSE

```
J  D  T  C  C  A  G  E  Y  W  T  O  C  V  E  U  J  R  L  J  D
L  S  O  O  P  G  K  A  Z  M  O  U  T  R  A  G  E  O  U  S  J
Y  G  O  D  L  Y  U  B  X  Y  C  C  U  S  G  E  Z  A  R  S  Z
P  Q  N  X  V  D  Z  B  I  N  Q  U  I  S  I  T  I  V  E  T  S
E  R  A  C  H  A  L  T  I  N  G  M  G  J  J  W  H  A  P  R  H
Q  V  G  U  D  R  C  P  C  G  U  L  L  I  B  L  E  V  Q  A  Y
U  B  Z  A  B  E  A  S  F  I  R  S  T  X  P  K  W  A  E  N  Z
V  O  N  X  W  F  L  R  O  A  J  E  F  I  O  I  P  I  V  G  R
F  J  F  D  I  S  C  R  E  E  T  C  L  V  W  I  B  L  B  E  Y
H  M  P  C  L  O  U  D  Y  F  Z  O  N  Y  E  W  R  A  H  E  B
I  S  P  A  L  E  L  H  T  A  U  N  B  V  R  X  U  B  A  D  N
L  B  J  Y  I  G  A  I  T  S  V  D  W  F  F  X  I  L  Z  T  I
A  M  H  N  N  Q  T  G  G  C  C  M  A  T  U  R  E  E  X  R  D
R  V  I  J  E  D  I  H  D  I  M  R  I  Q  L  T  B  Q  L  G  I
I  L  D  H  B  B  N  F  V  N  A  Z  T  D  L  S  A  D  J  C  O
O  Z  E  S  U  N  G  A  D  A  D  E  I  I  N  N  O  C  E  N  T
U  N  O  C  L  V  G  L  H  T  L  O  N  V  R  I  H  O  J  P  I
S  O  U  A  O  V  C  U  K  E  O  E  G  B  I  L  Y  I  N  G  C
X  Z  S  R  U  G  N  T  M  D  G  R  A  N  D  I  O  S  E  U  I
E  V  X  E  S  T  W  I  I  R  A  S  P  I  R  I  N  G  I  L  T
A  U  F  D  M  D  G  N  C  B  B  Q  V  Q  J  C  H  U  B  B  Y
```

FASCINATED, AVAILABLE, GODLY, PALE, CLOUDY, POWERFUL, FIRST, WAITING, CALCULATING, ASPIRING, HIGHFALUTIN, GRANDIOSE, IDIOTIC, GULLIBLE, NEBULOUS, HILARIOUS, SCARED, HIDEOUS, LYING, INQUISITIVE, MATURE, STRANGE, SAD, INNOCENT, OUTRAGEOUS, CHUBBY, HALTING, DISCREET, SECOND, CAGEY

```
D  S  A  Z  V  T  C  O  Y  F  A  S  C  I  N  A  T  E  D  O  C
S  D  O  Y  V  K  L  G  R  D  V  O  A  R  O  M  A  T  I  C  A
S  E  C  O  N  D  O  F  I  W  A  E  S  P  P  L  S  O  J  H  L
L  M  P  P  H  K  U  R  B  P  D  H  P  A  L  E  F  M  N  Z  C
S  A  A  S  G  K  D  M  G  D  H  D  I  S  G  U  S  T  E  D  U
G  L  P  U  K  H  Y  I  Y  H  E  E  I  Z  G  R  O  O  V  Y  L
J  E  H  B  V  T  Z  A  P  Z  S  F  N  S  T  R  A  N  G  E  A
Q  V  I  S  C  A  R  E  D  Z  I  V  S  J  Y  S  Q  A  U  W  T
O  M  L  G  Y  S  V  V  T  Q  V  S  I  N  N  O  C  E  N  T  I
E  Q  A  F  I  R  S  T  H  M  E  Q  D  F  W  A  K  X  Z  C  N
C  W  R  H  D  V  R  U  A  S  Z  W  I  I  D  I  O  T  I  C  G
V  X  I  I  C  V  M  M  N  R  B  A  O  D  G  C  H  U  B  B  Y
J  K  O  D  O  P  V  W  K  Q  C  I  U  T  P  E  G  O  D  L  Y
D  K  U  E  M  S  X  A  F  T  K  T  S  C  U  L  C  A  U  T  T
Y  U  S  O  M  N  H  G  U  G  E  I  E  H  P  A  W  Y  V  F  L
G  V  H  U  O  E  Q  W  L  T  I  N  Q  U  I  S  I  T  I  V  E
I  U  O  S  N  V  K  D  H  X  I  G  C  H  Y  T  V  W  D  M  Q
P  B  D  N  E  B  U  L  O  U  S  Q  Z  E  S  I  A  J  R  Q  J
L  A  P  W  Y  G  N  U  W  P  A  A  C  I  A  C  W  J  U  I  F
M  H  I  G  H  F  A  L  U  T  I  N  R  M  D  N  I  Q  N  K  Y
A  S  P  I  R  I  N  G  V  E  Q  W  B  M  P  L  H  R  K  S  U
```

ADHESIVE, SAD, CLOUDY, SCARED, FIRST, STRANGE, ELASTIC, AROMATIC, COMMON, SECOND, HIGHFALUTIN, NEBULOUS, ASPIRING, CALCULATING, INQUISITIVE, INSIDIOUS, HIDEOUS, CHUBBY, MALE, PALE, WAITING, DRUNK, GODLY, THANKFUL, GROOVY, IDIOTIC, FASCINATED, DISGUSTED, HILARIOUS, INNOCENT

```
F  D  I  F  F  E  R  E  N  T  Y  X  D  M  G  I  Y  H  I  A  L
X  H  S  Q  C  S  A  D  Y  B  N  O  B  G  D  R  T  X  H  Y  R
I  G  U  L  L  I  B  L  E  V  L  W  F  A  E  N  X  V  R  R  O
D  E  K  F  X  D  I  S  G  U  S  T  E  D  L  I  E  I  G  F  Z
I  C  O  M  M  O  N  T  G  I  D  V  Z  A  C  N  E  R  A  J
O  C  L  O  U  D  Y  Z  J  O  F  F  H  M  S  H  A  R  C  S  W
T  F  I  R  S  T  K  V  K  D  C  Y  A  R  T  A  H  Q  A  C  P
I  O  P  C  H  M  Z  L  C  L  B  J  L  R  I  V  O  H  L  I  O
C  W  C  C  Y  J  B  Q  L  Y  K  F  T  I  C  A  A  W  C  N  F
T  R  H  U  I  N  Q  U  I  S  I  T  I  V  E  I  R  P  U  A  U
Q  C  G  R  A  N  D  I  O  S  E  S  N  A  A  L  O  D  L  T  W
F  P  D  I  H  Q  O  B  I  D  X  C  G  P  P  A  M  G  A  E  A
S  O  R  M  E  R  E  R  U  P  N  U  W  N  W  B  A  U  T  D  I
L  W  D  E  Z  D  E  L  I  G  H  T  F  U  L  L  T  L  I  S  T
T  E  H  I  G  H  F  A  L  U  T  I  N  B  K  E  I  G  N  O  I
N  R  S  C  R  X  B  R  I  N  N  O  C  E  N  T  C  K  G  K  N
B  F  C  P  O  Z  A  W  P  M  A  T  U  R  E  L  B  M  D  I  G
J  U  A  A  O  B  D  H  Z  K  V  D  R  U  N  K  L  M  W  N  W
A  L  R  L  V  N  C  J  K  A  A  C  G  B  R  R  M  J  K  W  E
Z  Y  E  E  Y  C  K  H  I  L  A  R  I  O  U  S  Q  K  D  E  R
R  W  D  F  Y  I  J  R  U  I  M  W  H  Q  F  S  F  M  H  G  C
```

INNOCENT, IDIOTIC, DELIGHTFUL, WAITING, POWERFUL, AVAILABLE, FASCINATED, COMMON, BAD, GRANDIOSE, DRUNK, HIGHFALUTIN, DISGUSTED, MERE, AROMATIC, INQUISITIVE, HALTING, ELASTIC, GULLIBLE, SCARED, GROOVY, GODLY, SAD, PALE, CLOUDY, HILARIOUS, MATURE, CALCULATING, FIRST, DIFFERENT

```
R  J  C  S  B  P  T  C  M  Z  H  I  G  H  F  A  L  U  T  I  N
E  C  S  I  N  S  I  D  I  O  U  S  D  G  C  Z  K  F  F  S  O
P  T  Y  T  K  B  P  E  N  G  E  L  C  L  Y  I  N  G  R  T  U
Z  I  N  Q  U  I  S  I  T  I  V  E  O  S  Z  Q  K  T  F  R  T
B  P  C  S  E  C  O  N  D  B  O  K  I  Q  A  G  O  M  V  A  R
F  M  A  I  O  Y  L  J  G  Q  E  L  A  S  T  I  C  D  P  N  A
Y  V  L  D  H  I  L  A  R  I  O  U  S  C  F  I  S  G  V  G  G
T  M  C  I  D  I  S  C  R  E  E  T  Y  A  R  H  Q  Y  H  E  E
H  S  U  O  I  R  G  T  C  L  D  X  N  R  K  D  D  L  A  K  O
Q  A  L  T  P  T  L  M  A  L  E  X  K  E  O  O  I  P  N  L  U
U  V  A  I  E  N  E  B  U  L  O  U  S  D  F  T  F  Q  D  H  S
E  A  T  C  N  H  G  A  S  P  I  R  I  N  G  H  F  Q  S  W  B
V  I  I  L  G  O  D  L  Y  O  G  T  W  N  Y  A  E  K  O  U  B
H  L  N  T  G  L  I  B  I  W  R  U  D  S  T  N  R  L  M  Q  D
T  A  G  S  A  D  Y  S  N  E  A  C  X  D  J  K  E  L  E  Z  Q
T  B  M  A  T  U  R  E  N  R  N  M  U  Q  F  F  N  D  L  B  X
D  L  L  J  W  C  D  C  O  F  D  E  Q  M  N  U  T  P  Y  W  Z
R  E  X  L  U  I  P  S  C  U  I  R  F  J  Z  L  O  A  Z  D  T
U  N  C  Y  G  D  D  E  E  L  O  E  L  M  W  L  R  L  R  B  P
N  W  M  C  X  K  X  T  N  C  S  P  L  R  C  A  G  E  Y  K  T
K  V  H  B  G  U  S  J  T  X  E  U  X  P  M  G  U  B  N  Q  X
```

HANDSOMELY, NEBULOUS, GRANDIOSE, ELASTIC, THANKFUL, AVAILABLE, IDIOTIC, DISCREET, INQUISITIVE, POWERFUL, INSIDIOUS, SCARED, MATURE, LYING, SECOND, PALE, MALE, CAGEY, DRUNK, SAD, STRANGE, ASPIRING, GODLY, DIFFERENT, HILARIOUS, MERE, HIGHFALUTIN, INNOCENT, OUTRAGEOUS, CALCULATING

```
R A D H E S I V E F C A O Y Q N W Y K D L
I T H T E L A S T I C M S V G R M H D H E
T P M E R E P O U R S Y E E S G P Z G I M
H A D P G H J I S G U L L I B L E L G G E
A V I O R A G S L S T R A N G E M D K H W
N A S W A N N V H I L A R I O U S J U F A
K I C E N D Z Z V A R Y M A T U R E N A I
F L R R D S R B A D J Z A S C A R E D L T
U A E F I O I N Q U I S I T I V E T U U I
L B E U O M D D W O T C I D I O T I C T N
S L T L S E R A X I U A B C U B E K N I G
Y E S Y E L U R Z H A L T I N G F C N N Y
C A G E Y Y N P W K D C W G M S Z C Y C R
V Y S U K L K B N A U U M O P F L B G C M
Z V E O F H B J M M D L A D O F I R S T P
I I D C A O R W F U G A L L C L O U D Y B
O U T R A G E O U S T T E Y W Z E N F K Y
D Z R M F V F O N F K I G X W U M F S P P
F H Z Q L J F A S C I N A T E D H I N F Z
P A L E V R E O H R E G H V I F Y J O B E
Y T Q B U Z Y Y L I N S I D I O U S R X P
```

THANKFUL, CLOUDY, HILARIOUS, INQUISITIVE, WAITING, FIRST, ADHESIVE, HANDSOMELY, HIGHFALUTIN, PALE, INSIDIOUS, SCARED, CALCULATING, OUTRAGEOUS, DRUNK, STRANGE, MALE, FASCINATED, CAGEY, MATURE, ELASTIC, HALTING, AVAILABLE, IDIOTIC, GULLIBLE, MERE, POWERFUL, GODLY, DISCREET, GRANDIOSE

```
I D I O T I C V I Z C T Q H K S N G V D A
O B B I N F F N N H O V B A V A Q C D R Y
A V I U R X I C S C V J D D L D L L Y J B
C A L C U L A T I N G L I H P T T G G X F
T D J M P C V M D I S C R E E T L W A F U
B H Y B O R W F I Z R Z E S H I D E O U S
H D X E V R X M O T E A K I C D R U N K E
P H M U H W J X U Y H Q C V I T W D H H L
H A L T I N G Z S P U R Y E B D W F N A A
K Y M J T T X Z Y S T R A N G E C K W N S
I F O H L W A I T I N G Y W H T T B D D T
N T U I B X F O T K U Q F M A T U R E S I
Q H T G G R A N D I O S E F A I H B A O C
U A R H P N S L C Y Q E D U B Y C C N M A
I N A F T E C K W U L Y I N G A L H J E B
S K G A G B I L C M H I L A R I O U S L N
I F E L M U N E F A G M R I S V U B L Y F
T U O U U L A M X L O Z E A C H D B M R K
I L U T T O T H G E D H D V O J Y Y D Q A
V H S I K U E G Q D L D I F F E R E N T W
E Y L N J S D U D A Y R D G U L L I B L E
```

HIDEOUS, LYING, WAITING, GRANDIOSE, MALE, IDIOTIC, OUTRAGEOUS, DRY, HILARIOUS, GULLIBLE, DISCREET, MATURE, INSIDIOUS, CHUBBY, ADHESIVE, FASCINATED, HALTING, GODLY, STRANGE, DRUNK, CALCULATING, INQUISITIVE, THANKFUL, HIGHFALUTIN, ELASTIC, HANDSOMELY, NEBULOUS, SAD, DIFFERENT, CLOUDY

```
X F F A A S C A L C U L A T I N G G I P H
S Q B Z S K X B L I O T A B D N B K D O S
E P I L P U M E R E F T O N G U J H I V A
M O N P I B J Y Z W I O E B P C M E O D M
W W Q D R H H I L A R I O U S C P A T G L
D E U I I Y I F A M S W A R O M A T I C Y
G R I F N G G P G B T U X V B O G B C J I
O F S F G U H W E L A S T I C U W W S X N
D U I E B L F P A L E C N J I T M F A D G
L L T R H L A D T W V S U G O R H H O R F
Y O I E K I L D N A J E U Z P A I I I F G
R O V N L B U R E I I C J E D G W D U Q L
K O E T X L T Y B T Q O U E M E P E M J I
M A T U R E I L U I F N A A A O N O S V O
D D R U N K N D L N W D N W L U Q U C Q Q
R Z V Z G I X M O G B Y F G E S L S K U V
P L P Z Q O P D U U B E R I N N O C E N T
D D Y O R W H D S B G R A N D I O S E K R
D O S T O H A N D S O M E L Y R P K U V K
P J A D H E S I V E M N Z Y T Q B E Z N N
N W U Z M G O Y U X C O M M O N R I I V U
```

NEBULOUS, DRUNK, ELASTIC, ADHESIVE, ASPIRING, SECOND, INNOCENT, HIDEOUS,
FIRST, PALE, GULLIBLE, MATURE, AROMATIC, IDIOTIC, HANDSOMELY, DIFFERENT,
COMMON, INQUISITIVE, GODLY, LYING, DRY, HILARIOUS, WAITING, MERE, MALE,
POWERFUL, GRANDIOSE, CALCULATING, OUTRAGEOUS, HIGHFALUTIN

H L P X V Q H E E N A S C A L D C S U C O
H I G H F A L U T I N O A S Y R M E F A U
Q G P O W E R F U L T P G P I C A C A L T
K I P B A U D D R U N K E I N J L O E C R
O A Y Z R Z F Z V U H C Y R G K E N F U A
V V N A B Z A O Q Z O J A I V P T D I L G
R A H L B Q S W B Z D O Q N R K A I R A E
A I I N N O C E N T I R S G H Y R V S T O
D L D M S B I R Q M S I D I O T I C T I U
H A E I R Q N D X E G N S C A R E D Z N S
E B O M E Y A I S R U N P C L O U D Y G P
S L U J S B T S A E S N G R A N D I O S E
I E S C T P E C D R T D I F F E R E N T D
V D R M O T D R C U E T S C O A I I N N L
E G B P H H N E X D D S N J V B G Z S C J
E L A S T I C E Z X W O N V R B H Z O V I
O E Y H R F B T P A Z G U L L I B L E H F
C Z P W Z Z T H A N K F U L Y E Q I P E U
S X F D J C O O H E Q M H A L T I N G B F
Q A V O G I R K Q J N H M N K G N U Y U Q
P T Z D R Y Y A M R U F C E L K F E B H T

MERE, CAGEY, DISGUSTED, AVAILABLE, DRUNK, GRANDIOSE, HALTING, DIFFERENT, POWERFUL, INNOCENT, HIGHFALUTIN, THANKFUL, OUTRAGEOUS, DISCREET, ELASTIC, HIDEOUS, IDIOTIC, SECOND, SAD, LYING, MALE, GULLIBLE, DRY, ADHESIVE, CLOUDY, CALCULATING, SCARED, FIRST, FASCINATED, ASPIRING

```
A  W  L  T  U  A  D  O  D  I  F  F  E  R  E  N  T  B  W  J  A
P  Y  J  C  P  D  I  Z  G  R  O  O  V  Y  T  S  Y  T  Q  W  B
U  L  L  U  Z  H  S  M  N  S  Q  G  W  A  I  T  I  N  G  A  L
S  M  S  A  S  E  G  O  V  B  X  M  D  R  K  R  C  B  Y  E  A
O  G  I  Y  C  S  U  X  G  Z  O  A  R  O  M  A  T  I  C  Z  M
L  C  C  H  A  I  S  I  Y  R  I  D  L  V  K  N  O  T  T  Y  E
H  L  P  A  R  V  T  P  H  D  N  C  B  R  T  G  U  H  D  U  M
U  O  D  N  E  E  E  T  H  A  N  K  F  U  L  E  P  C  Y  G  W
J  U  F  D  D  B  D  O  I  E  O  J  U  M  N  T  O  U  M  F  S
M  D  R  S  J  K  I  K  L  L  C  J  X  M  M  E  L  K  G  X  E
W  Y  R  O  M  U  S  H  A  A  E  N  Z  E  A  O  Q  C  U  X  C
S  C  O  M  M  O  N  S  R  S  N  O  W  R  T  Y  S  A  L  I  O
L  O  S  E  H  W  M  B  I  T  T  E  P  E  U  W  R  G  L  D  N
W  J  A  L  J  H  Y  D  O  I  N  X  O  Z  R  D  S  E  I  I  D
E  B  D  Y  F  G  Y  O  U  C  J  L  W  M  E  T  T  Y  B  O  H
A  G  O  D  L  Y  U  S  S  Y  Q  Y  E  N  S  U  U  Y  L  T  M
C  A  L  C  U  L  A  T  I  N  G  I  R  U  S  I  C  L  E  I  A
I  Z  V  M  A  L  E  L  V  N  F  N  F  A  J  T  M  G  I  C  V
Z  F  A  S  C  I  N  A  T  E  D  G  U  A  C  H  D  W  S  Q  W
Y  R  L  M  G  G  T  I  C  O  K  N  L  N  O  G  L  W  H  A  Z
E  H  I  D  E  O  U  S  B  M  R  R  R  U  C  X  M  J  W  E  Y
```

DISGUSTED, CALCULATING, IDIOTIC, MERE, CAGEY, COMMON, THANKFUL, HILARIOUS, HIDEOUS, GROOVY, SAD, ADHESIVE, MATURE, MALE, POWERFUL, SCARED, WAITING, CLOUDY, SECOND, LYING, GULLIBLE, ELASTIC, STRANGE, GODLY, HANDSOMELY, DIFFERENT, FASCINATED, INNOCENT, KNOTTY, AROMATIC

```
M  P  Z  V  M  O  O  D  D  S  I  N  S  I  D  I  O  U  S  N  T
X  Z  I  D  I  O  T  I  C  O  C  K  Y  Q  F  H  S  M  C  E  B
L  H  D  Z  U  N  J  F  T  Z  T  L  R  Q  Q  I  U  B  N  B  Z
V  Q  J  L  T  Z  W  F  H  N  I  V  M  Y  B  L  S  H  A  U  B
J  S  T  R  A  N  G  E  A  U  N  L  F  C  L  A  E  H  D  L  R
X  V  E  C  T  D  J  R  N  D  N  G  L  E  U  R  Z  A  H  O  M
C  L  O  U  D  Y  H  E  K  R  O  I  F  S  U  I  Y  L  E  U  K
E  C  H  U  B  B  Y  N  F  U  C  A  F  A  P  O  N  T  S  S  G
W  A  I  T  I  N  G  T  U  N  E  F  A  D  H  U  D  I  I  R  R
E  M  Z  W  Z  E  C  A  L  K  N  R  S  L  N  S  Z  N  V  V  A
L  A  Q  O  J  G  D  U  Z  J  T  Z  C  M  E  R  E  G  E  Y  N
A  L  Z  W  M  O  I  L  Y  I  N  G  I  S  L  C  X  H  E  K  D
S  E  O  P  A  D  S  M  G  M  F  C  N  H  I  D  E  O  U  S  I
T  N  T  L  T  L  C  L  X  Y  P  Y  A  V  C  H  B  D  K  F  O
I  P  F  Z  U  Y  R  Y  N  D  Y  G  T  J  A  Q  H  Y  F  W  S
C  M  N  U  R  I  E  X  N  J  V  S  E  O  G  R  H  D  F  K  E
O  H  J  K  E  B  E  N  N  P  L  A  D  V  E  F  D  B  O  N  W
O  G  B  P  U  Y  T  N  G  F  I  R  S  T  Y  W  J  I  Q  I  X
A  G  L  T  H  I  G  H  F  A  L  U  T  I  N  H  J  J  O  F  E
Y  A  V  A  I  L  A  B  L  E  V  E  N  V  F  N  C  S  B  H  L
G  N  H  D  K  E  M  W  K  M  I  S  I  G  Z  S  P  A  L  E  X
```

LYING, DRUNK, HIDEOUS, PALE, SAD, GRANDIOSE, NEBULOUS, ELASTIC, HIGHFALUTIN, DIFFERENT, HILARIOUS, FASCINATED, ADHESIVE, STRANGE, FIRST, CAGEY, CHUBBY, HALTING, IDIOTIC, AVAILABLE, WAITING, MALE, DISCREET, GODLY, INSIDIOUS, THANKFUL, MATURE, INNOCENT, CLOUDY, MERE

```
A  D  N  I  D  T  C  H  I  U  Q  E  U  W  I  R  A  G  N  V  K
N  Y  U  T  B  I  L  M  D  V  B  P  H  J  T  O  R  D  E  H  H
W  W  L  E  V  L  K  W  F  M  D  D  P  Y  E  N  Q  Z  B  M  I
H  B  E  T  N  J  W  O  H  G  C  L  O  U  D  Y  P  K  U  H  G
A  V  K  V  K  D  N  U  U  J  T  R  X  S  M  C  F  P  L  U  H
L  B  X  T  P  N  U  M  A  T  U  R  E  T  A  H  I  U  O  W  F
T  K  O  G  J  Y  X  D  G  O  D  L  Y  R  L  U  R  L  U  S  A
I  T  I  U  F  B  A  Y  V  G  I  L  O  A  E  B  S  Y  S  K  L
N  P  X  L  A  D  R  O  K  C  N  Y  E  N  K  B  T  I  V  K  U
G  T  S  L  S  X  O  W  A  I  T  I  N  G  N  Y  B  N  L  L  T
O  U  C  I  C  P  M  D  L  V  S  H  U  E  W  O  S  G  G  M  I
Q  I  A  B  I  O  A  S  C  A  L  C  U  L  A  T  I  N  G  B  N
U  J  R  L  N  W  T  A  E  I  K  Z  L  M  C  G  D  J  H  C  Z
R  I  E  E  A  E  I  D  T  N  H  E  I  D  I  O  T  I  C  H  G
O  H  D  Q  T  R  C  G  H  S  C  C  Y  P  A  L  E  I  Y  W  R
C  I  S  I  E  F  O  U  A  I  A  D  E  L  I  G  H  T  F  U  L
G  D  A  J  D  U  D  D  N  D  G  F  W  M  K  F  L  J  A  D  H
Q  E  E  K  J  L  W  V  K  I  E  S  U  E  I  M  T  B  M  R  Y
L  O  Z  V  M  E  R  E  F  O  Y  T  Y  F  R  N  G  W  Z  U  H
O  U  W  O  D  O  R  F  U  U  Q  U  A  Y  Z  X  I  B  L  N  F
E  S  B  U  X  M  U  I  L  S  S  A  G  G  R  V  O  S  Q  K  W
```

LYING, FASCINATED, IDIOTIC, INSIDIOUS, FIRST, AROMATIC, SCARED, CAGEY, SAD, PALE, NEBULOUS, STRANGE, GODLY, MATURE, WAITING, DRUNK, CLOUDY, GULLIBLE, HIDEOUS, CALCULATING, POWERFUL, HALTING, DELIGHTFUL, MERE, HIGHFALUTIN, THANKFUL, CHUBBY, MALE

```
W  N  F  D  D  P  F  J  L  D  G  L  G  P  Q  M  W  D  U  N  G
I  A  Q  V  C  M  A  L  E  I  N  Y  U  G  U  Y  O  L  N  R  D
N  K  R  F  Q  A  V  G  Z  F  K  I  L  O  P  U  Z  W  Q  S  G
Q  K  U  T  K  G  F  Y  T  F  K  N  L  G  I  E  R  G  K  T  P
U  O  V  G  Q  O  L  I  V  E  T  G  I  S  S  T  R  A  N  G  E
I  A  H  O  C  R  K  N  P  R  G  E  B  F  I  R  S  T  X  C  D
S  T  I  D  F  J  O  N  W  E  H  Z  L  P  O  W  E  R  F  U  L
I  X  L  L  O  A  U  O  A  N  J  I  E  D  F  Z  T  W  A  C  B
T  G  A  Y  U  A  T  C  S  T  C  L  O  U  D  Y  I  A  A  S  L
I  V  R  H  Q  R  R  E  P  D  U  A  S  Y  K  C  A  D  V  Y  V
V  K  I  K  H  X  A  N  I  A  Z  H  I  D  E  O  U  S  A  F  C
E  N  O  A  A  E  G  T  R  A  D  H  E  S  I  V  E  C  I  A  U
E  I  U  I  L  L  E  C  I  E  O  U  Z  A  S  N  T  A  L  S  N
K  N  S  J  T  A  O  K  N  Z  K  G  P  D  G  E  J  R  A  C  Y
T  S  E  P  I  S  U  G  G  T  H  C  H  U  B  B  Y  E  B  I  M
B  I  Q  X  N  T  S  V  N  N  P  M  U  U  N  U  M  D  L  N  N
D  D  V  Q  G  I  C  C  I  C  A  P  H  F  M  L  W  R  E  A  T
A  I  K  U  R  C  F  O  O  M  L  Z  X  I  E  O  G  B  U  T  R
Y  O  K  H  A  N  D  S  O  M  E  L  Y  Y  R  U  L  J  O  E  Y
X  U  Z  Z  D  G  R  R  C  A  G  E  Y  L  E  S  B  S  U  D  H
H  S  I  J  K  U  H  U  C  I  C  A  L  C  U  L  A  T  I  N  G
```

OUTRAGEOUS, FIRST, AVAILABLE, GODLY, SCARED, CHUBBY, PALE, HILARIOUS, INSIDIOUS, CAGEY, HIDEOUS, DIFFERENT, FASCINATED, CLOUDY, GULLIBLE, STRANGE, LYING, ADHESIVE, ASPIRING, ELASTIC, INQUISITIVE, SAD, HALTING, POWERFUL, HANDSOMELY, MALE, NEBULOUS, CALCULATING, INNOCENT, MERE

```
C Q N J Q D S A Y Z Y F A H F P U S F L J
A R Z H T O H A R O M A T I C G X Q L C O
A H H I T H L I G P R S I N N O C E N T T
H I B L L R M E R E S C A D Y L J H C Y I
A D F A C H U B B Y W I D P E G N N G V N
N E I R N R Y M E R K N H M D S B G U C Q
D O R I N M A L E G P A E A I Q V P L O U
S U S O O E M X A O R T S T F Q N G L M I
O S T U Q C B S I D S E I U F U W R I M S
M K B S L A P F Y L Y D V R E C M A B O I
E B U U X G K P B Y N I E E R L W N L N T
L W Z S X E A V A I L A B L E O J D E J I
Y T S T D Y A S P I R I N G N U F I N Z V
C Z G H R I D I O T I C C Y T D V O F X E
C K N I U E T H A N K F U L V Y U S E U Q
O A M U N N R L J G D S E C O N D E Z Z W
Q Y K M K Y Q M H I G H F A L U T I N C S
Q V K M T B U P A L E G D V I T I N J Q I
W A I T I N G Q L I A E I U Q W Q K Q Z N
Y H G O T Z W V N M S D Z M Z Q O O O J O
D L N N C N W Y U N E B U L O U S N A F N
```

CLOUDY, DRUNK, PALE, ASPIRING, COMMON, CAGEY, IDIOTIC, GRANDIOSE,
AVAILABLE, ADHESIVE, SECOND, FIRST, NEBULOUS, WAITING, HIGHFALUTIN,
FASCINATED, MERE, HILARIOUS, AROMATIC, GODLY, GULLIBLE, MATURE, MALE,
THANKFUL, CHUBBY, HANDSOMELY, DIFFERENT, INQUISITIVE, HIDEOUS, INNOCENT

```
E  P  I  H  B  M  L  N  A  U  B  O  T  G  J  C  B  K  P  I  H
C  M  N  D  R  Z  C  L  D  M  P  O  W  E  R  F  U  L  N  H  I
F  N  Q  I  U  Y  A  Y  H  C  T  H  A  N  K  F  U  L  H  E  W
I  Y  U  F  J  J  G  I  E  H  I  L  A  R  I  O  U  S  F  C  T
R  W  I  F  F  N  E  N  S  Y  H  A  N  D  S  O  M  E  L  Y  C
S  I  S  E  J  Q  Y  G  I  R  Z  N  D  J  B  Z  W  D  X  Q  J
T  N  I  R  S  A  D  R  V  Q  N  H  T  V  P  R  G  Z  H  N  J
N  S  T  E  R  S  U  P  E  L  L  C  X  F  T  Z  R  A  U  Y  E
J  I  I  N  P  G  S  E  M  Q  T  H  Q  N  B  Z  A  R  K  I  L
K  D  V  T  F  A  S  C  I  N  A  T  E  D  D  P  N  T  G  D  F
C  I  E  G  C  L  O  U  D  Y  R  U  L  H  R  A  D  V  H  I  G
W  O  M  U  G  V  N  Z  C  I  L  M  Q  M  U  L  I  A  X  O  A
R  U  Z  A  L  D  S  T  R  A  N  G  E  A  N  E  O  S  A  T  Q
P  S  B  X  R  X  K  M  K  E  N  D  U  T  K  E  S  P  Y  I  M
M  A  S  A  Y  H  C  K  L  L  E  I  X  U  H  N  E  I  W  C  E
A  V  A  I  L  A  B  L  E  A  B  S  C  R  C  S  B  R  A  H  R
L  G  W  J  O  L  I  W  X  S  U  C  H  E  P  Y  K  I  I  U  E
I  P  W  G  I  T  Z  S  C  T  L  R  U  Q  W  L  U  N  T  B  X
M  A  L  E  W  I  I  D  V  I  O  E  B  X  G  C  N  G  I  A  S
F  P  N  R  H  N  L  F  O  C  U  E  B  G  D  M  O  W  N  B  L
K  J  L  A  S  G  I  L  Q  Z  S  T  Y  U  T  V  F  F  G  E  C
```

ASPIRING, MERE, NEBULOUS, DRUNK, AVAILABLE, FASCINATED, FIRST, ADHESIVE,
CLOUDY, ELASTIC, HILARIOUS, MATURE, INSIDIOUS, DIFFERENT, WAITING, SAD,
GRANDIOSE, PALE, HANDSOMELY, IDIOTIC, LYING, HALTING, STRANGE, THANKFUL,
CHUBBY, POWERFUL, CAGEY, DISCREET, MALE, INQUISITIVE

L V Q H A V A I L A B L E M O J X K V J U
S O U T R A G E O U S O X D K Q W H R D D
D H I J F X A B X D I F F E R E N T I W C
A F N A K A C T H A N K F U L X A G O N N
Y W S R Y T O U T Z X L E I V V S M X P Y
A W I O U C M B R D N G O D L Y P O V E Z
N J D M U A M E H E K L S Q X D I T N G L
F B I A T G O G U L L I B L E L R H M J Y
L W O T S E N F X I C C H C Y G I M A L E
W B U I W Y O V I G Q H A J C R N R R M C
M D S C M E R E I H K I L G H A G E F I T
W A I T I N G T L T N G T G U N H L Z H S
Q C L O U D Y R P F P H I Z B D J A B S P
F D R U N K A P D U D F N Y B I T S I E S
J G S T R A N G E L T A G R Y O F T D C T
O G Q D E P J G V H O L P W Z S A I R O Z
D I S C R E E T O X M U U F A E Y C Y N N
A Q G L B M A T U R E T D S P N Q L L D X
R R P A S U H I L A R I O U S H C F W Y E
X G V W D C F I R S T N W Q H M T B T I O
B Q O Z S J L P Q P O Y I X L L P A L E Y

FIRST, MATURE, GODLY, MERE, DELIGHTFUL, GRANDIOSE, DISCREET, CLOUDY,
HALTING, SECOND, DRY, PALE, WAITING, AVAILABLE, ASPIRING, CAGEY,
OUTRAGEOUS, DRUNK, COMMON, HILARIOUS, GULLIBLE, THANKFUL, INSIDIOUS,
HIGHFALUTIN, CHUBBY, DIFFERENT, MALE, STRANGE, ELASTIC, AROMATIC

X G S C N S C A R E D M S W I M F A W J J
A S M H J J I N Q U I S I T I V E F H I S
R N A U J F B U H E L O U T R A G E O U S
O W L B S A D G A U X L P F V W Z Y S O U
M T E B V P D A L C D D V X X D V P R U D
A P H Y H K Q O T J E F A S C I N A T E D
T H A N K F U L I A L A D E C F G Q Z P J
I O I T C D K S N C I T Y R I F B A D J G
C E L A S T I C G V G T J P K E J K U L R
H A N D S O M E L Y H D C A I R I R J A A
C X I N N O C E N T T I L D J E M N Q M N
F P O W E R F U L Q F S O H G N U F N O D
C Z U B L G M R I C U G U E C T A C T B I
V E L C S R A H S F L U D S L P V L B T O
T M D H T O T G R H V S Y I O S Y V K N S
T G B I R O U C Y O F T T V D R Y B A F E
M E R E A V R Y T B D E Q E N E D H J E S
H L N L N Y E L I W R D H N E B U L O U S
Z O M Y G G O D L Y E E I J B Z P Z S A V
M X S E E C I B I C T G E A H I D E O U S
S Z E U I S Q Y M Q W A I T I N G L F F H

DELIGHTFUL, MERE, DIFFERENT, INQUISITIVE, ELASTIC, ADHESIVE, POWERFUL, HALTING, SAD, THANKFUL, GROOVY, DISGUSTED, MATURE, SCARED, GRANDIOSE, INNOCENT, WAITING, DRY, HIDEOUS, HANDSOMELY, AROMATIC, STRANGE, OUTRAGEOUS, MALE, CLOUDY, GODLY, BAD, FASCINATED, NEBULOUS, CHUBBY

```
F  I  L  K  H  I  G  H  F  A  L  U  T  I  N  C  J  C  V  J  P
Y  Z  E  D  M  B  C  H  C  V  I  N  U  H  B  N  T  Z  M  D  G
Q  H  X  U  Q  B  H  S  H  V  D  G  J  N  D  F  R  G  J  I  H
R  Q  V  X  B  N  U  C  X  X  I  M  E  R  E  I  M  C  O  S  M
M  A  T  U  R  E  B  A  R  K  O  K  V  A  B  R  D  F  K  G  Y
W  S  Y  C  N  L  B  R  L  O  T  N  D  D  N  S  R  H  I  U  B
A  P  U  J  E  O  Y  E  R  X  I  O  J  H  Y  T  Y  V  N  S  E
I  I  B  M  J  Z  I  D  Z  P  C  T  W  E  P  R  D  P  Q  T  Q
T  R  T  O  O  L  Y  I  N  G  Q  T  J  S  Y  R  J  H  U  E  T
I  I  G  F  M  Q  F  J  Y  X  R  Y  X  I  W  P  G  B  I  D  J
N  N  L  C  A  I  N  N  O  C  E  N  T  V  H  C  K  N  S  W  E
G  G  T  N  Q  W  D  R  U  N  K  I  Q  E  V  J  M  B  I  P  Y
S  O  J  D  Y  H  A  N  D  S  O  M  E  L  Y  H  X  A  T  Q  A
J  G  R  O  O  V  Y  D  O  G  F  B  S  G  C  M  A  D  I  L  R
K  Y  S  D  Q  H  I  D  E  O  U  S  D  L  F  P  N  T  V  R  O
U  B  T  L  H  I  L  A  R  I  O  U  S  U  Z  R  G  J  E  L  M
V  D  R  X  R  M  G  D  S  V  C  L  O  U  D  Y  A  R  H  N  A
V  W  A  R  D  C  A  L  C  U  L  A  T  I  N  G  K  T  M  S  T
H  Z  N  R  J  W  A  V  A  I  L  A  B  L  E  O  B  P  V  O  I
J  Z  G  S  A  D  M  I  J  N  I  Z  N  N  D  V  R  G  S  U  C
H  E  E  M  E  P  V  R  R  E  J  C  A  G  E  Y  U  P  T  H  W
```

HIDEOUS, FIRST, ADHESIVE, INNOCENT, BAD, GROOVY, HANDSOMELY, AROMATIC, CHUBBY, SCARED, AVAILABLE, MATURE, SAD, STRANGE, MERE, INQUISITIVE, WAITING, LYING, DRY, DRUNK, KNOTTY, CAGEY, ASPIRING, HIGHFALUTIN, CLOUDY, HILARIOUS, IDIOTIC, CALCULATING, DISGUSTED

```
K W K M X N D T P Q G G W K D K J N T W O
I N N O C E N T O H G Z J G N T P E T M N
D I S C R E E T W I R D I Y H C J B H E C
P V Z E D F K W E G A E N N P R P U A M H
A S P I R I N G R H N L S X O G A L N D U
X C M A T U R E F F D I I A U E L O K R B
W A I T I N G S U A I G D W T F E U F U B
M H A L T I N G L L O H I G R I O S U N Y
B K U W U X B W O U S T O F A G Y M L K J
A Q E S M E U Q R T E F U A G P I L O E V
P H S O X N X L N I R U S J E L P R P K Y
H M V Z N F Z J N N A L J H O S Y I M U I
A E L A S T I C I W J B Q Q U T O T Y N F
N H S N M C S G B K F B B L S R N F C V C
D Z A O U S C U Y J K R H I L A R I O U S
S D D F W E A L K M A L E J X N P T O D J
O M K B O C R L B C L O U D Y G D Q V K S
M E C K G O E I R V P Z I F L E R U X S I
E R A K F N D B F F A S C I N A T E D N M
L E G P I D B L G G F P H X E S M W Q L Q
Y I Q G B E Q E G S A A R O M A T I C W Z
```

POWERFUL, STRANGE, DELIGHTFUL, ELASTIC, MATURE, GULLIBLE, HALTING, HILARIOUS, FASCINATED, SCARED, DRUNK, CLOUDY, HIGHFALUTIN, INSIDIOUS, PALE, CHUBBY, THANKFUL, HANDSOMELY, SAD, OUTRAGEOUS, MALE, NEBULOUS, ASPIRING, MERE, DISCREET, GRANDIOSE, AROMATIC, SECOND, INNOCENT, WAITING

```
J  E  A  T  R  I  E  R  R  G  N  V  G  O  D  Q  J  G  X  Q  B
X  T  H  A  N  D  S  O  M  E  L  Y  G  P  E  J  U  K  A  T  D
X  H  P  O  W  E  R  F  U  L  P  O  H  B  L  N  G  E  X  T  G
Y  A  Q  W  K  H  I  G  H  F  A  L  U  T  I  N  P  L  X  S  O
B  N  I  A  B  B  R  S  N  D  L  C  I  A  G  G  S  A  B  O  D
M  K  D  V  J  I  N  N  O  C  E  N  T  C  H  I  W  S  A  Z  L
M  F  I  A  U  P  L  Y  I  N  G  E  A  G  T  N  V  T  D  K  Y
E  U  O  I  G  E  N  E  R  A  L  B  R  A  F  Q  T  I  P  E  W
H  L  T  L  C  L  O  U  D  Y  E  U  O  W  U  U  J  C  B  Z  G
I  T  I  A  K  N  E  M  W  R  W  L  M  D  L  I  D  R  U  N  K
L  J  C  B  S  I  L  G  E  C  B  O  A  X  Y  S  Z  M  P  O  B
A  G  U  L  L  I  B  L  E  I  F  U  T  A  R  I  W  O  R  T  Q
R  R  Z  E  G  E  W  D  X  Z  Q  S  I  U  V  T  B  B  X  R  N
I  W  Z  N  E  K  L  R  J  Q  K  Y  C  A  C  I  D  P  M  V  W
O  G  Z  V  C  I  Q  Y  B  A  T  W  P  Y  L  V  H  D  U  F  B
U  G  D  L  A  B  H  G  R  O  O  V  Y  E  G  E  A  Y  C  R  I
S  W  B  I  J  K  I  D  O  K  E  Q  F  U  T  P  L  M  A  L  E
B  V  Z  Q  A  S  P  I  R  I  N  G  A  L  G  E  T  I  C  O  Y
O  C  A  L  C  U  L  A  T  I  N  G  A  M  Z  F  I  P  U  D  Y
I  O  D  I  S  G  U  S  T  E  D  L  D  G  Z  S  N  R  S  M  A
J  L  X  N  L  F  A  S  C  I  N  A  T  E  D  A  G  M  X  A  J
```

HILARIOUS, CLOUDY, THANKFUL, CALCULATING, DRUNK, MALE, ASPIRING, PALE,
DISGUSTED, GULLIBLE, LYING, POWERFUL, ACID, INQUISITIVE, IDIOTIC, GROOVY,
AVAILABLE, GODLY, HIGHFALUTIN, NEBULOUS, DELIGHTFUL, BAD, HANDSOMELY,
FASCINATED, ELASTIC, HALTING, GENERAL, INNOCENT, AROMATIC, DRY

```
D  I  Z  B  W  H  C  A  L  C  U  L  A  T  I  N  G  C  Q  P  A
B  D  R  L  N  I  R  Y  V  M  A  T  U  R  E  Y  T  T  J  O  Z
Z  I  N  S  I  D  I  O  U  S  K  W  X  D  B  W  U  G  U  D  A
J  U  T  J  V  E  D  F  L  G  Z  H  D  W  W  S  C  A  R  E  D
T  N  S  A  K  O  G  D  I  F  F  E  R  E  N  T  M  K  Z  D  K
U  P  P  U  J  U  H  I  L  A  R  I  O  U  S  C  E  U  I  N  E
F  C  Z  B  R  S  Q  I  D  I  O  T  I  C  I  O  R  Z  A  E  K
E  C  P  A  L  E  B  K  I  C  E  M  U  J  R  T  E  T  S  B  Q
F  A  S  C  I  N  A  T  E  D  L  Y  X  Z  L  A  A  T  P  U  J
L  H  V  Y  E  B  R  B  A  V  A  I  L  A  B  L  E  R  I  L  C
Y  A  S  T  R  A  N  G  E  O  I  C  P  T  G  Y  G  J  R  O  D
I  N  W  W  A  B  G  K  T  U  N  H  R  H  R  Q  Z  T  I  U  I
N  D  F  I  R  S  T  H  H  T  Q  U  D  X  A  L  Y  T  N  S  S
G  S  E  Z  Y  L  R  A  A  R  U  B  S  B  N  Y  C  D  G  U  C
Q  O  L  G  G  P  W  L  N  A  I  B  W  B  D  Y  L  D  U  O  R
J  M  A  Z  M  P  D  T  K  G  S  Y  X  E  I  D  R  U  N  K  E
D  E  S  O  S  A  D  I  F  E  I  X  D  P  O  W  T  G  R  Q  E
A  L  T  X  Z  T  I  N  U  O  T  Z  M  B  S  P  Z  I  C  A  T
S  Y  I  C  Y  A  G  G  L  U  I  L  J  M  E  L  T  C  X  I  V
B  V  C  W  O  I  Q  H  P  S  V  G  I  A  D  H  E  S  I  V  E
G  U  L  L  I  B  L  E  P  V  E  N  O  C  R  H  V  A  C  X  Y
```

AVAILABLE, HIDEOUS, HALTING, OUTRAGEOUS, GRANDIOSE, DRUNK, GULLIBLE, SAD, MERE, IDIOTIC, HANDSOMELY, INQUISITIVE, LYING, SCARED, STRANGE, CALCULATING, INSIDIOUS, PALE, NEBULOUS, HILARIOUS, THANKFUL, DIFFERENT, DISCREET, ADHESIVE, MATURE, CHUBBY, FIRST, ELASTIC, ASPIRING, FASCINATED

```
A  S  C  A  R  E  D  L  P  E  P  Q  M  X  W  D  Y  H  N  Q  P
I  O  A  P  J  E  S  R  H  A  L  T  I  N  G  R  W  E  B  S  R
L  M  B  B  N  I  C  W  N  P  W  J  Q  O  U  U  A  K  T  Z  O
I  O  N  P  F  T  A  O  X  E  S  Z  H  B  K  N  A  F  E  F  H
Y  M  J  D  F  L  Y  C  K  N  T  S  B  J  A  K  O  I  W  S  M
K  L  P  R  V  T  P  O  U  T  R  A  G  E  O  U  S  R  A  E  R
R  N  E  B  U  L  O  U  S  K  A  B  K  S  A  P  D  S  R  C  D
A  L  N  S  C  B  I  G  B  I  N  N  V  L  N  C  R  T  O  O  I
K  N  O  V  C  H  X  F  I  J  G  R  F  Y  M  B  Y  X  M  N  S
B  P  C  I  L  I  E  A  M  M  E  C  O  M  M  O  N  F  A  D  C
Y  D  A  V  O  D  G  S  G  B  H  V  S  K  W  U  N  B  T  X  R
T  E  L  A  U  E  O  C  R  W  X  M  A  L  E  H  J  S  I  P  E
D  L  C  D  D  O  D  I  A  R  L  S  M  E  R  E  U  M  C  H  E
U  I  U  H  Y  U  L  N  N  D  I  S  G  U  S  T  E  D  X  L  T
S  G  L  E  Q  S  Y  A  D  B  P  G  I  U  A  U  F  A  Y  F  Y
L  H  A  S  W  A  I  T  I  N  G  L  R  S  Q  U  U  T  P  T  Q
Y  T  T  I  W  W  F  E  O  F  B  S  D  R  J  H  K  G  V  N  G
I  F  I  V  P  W  I  D  S  H  I  L  A  R  I  O  U  S  M  P  Z
N  U  N  E  H  Y  H  L  E  U  N  D  H  E  E  L  A  S  T  I  C
G  L  G  I  D  I  O  T  I  C  X  W  X  D  T  C  F  A  R  P  M
N  J  B  G  J  P  I  N  N  O  C  E  N  T  F  E  V  L  Z  L  M
```

AROMATIC, OUTRAGEOUS, NEBULOUS, WAITING, MALE, HALTING, STRANGE, CLOUDY, LYING, ADHESIVE, FIRST, ELASTIC, MERE, GODLY, GRANDIOSE, HILARIOUS, COMMON, SECOND, CALCULATING, IDIOTIC, DISCREET, DRY, HIDEOUS, DELIGHTFUL, SCARED, DISGUSTED, FASCINATED, DRUNK, INNOCENT

```
F Q P E I I W A D H E S I V E Z W W H C K
K F P G N A U I A V A I L A B L E G M N W
T V X U N G R N P O W E R F U L R R Z C M
H Z W L O O S A D E Z R N W C Q F A Y L A
L Y W L C P F A S C I N A T E D P N M T T
Y Y A I E J I N Q U I S I T I V E D U B U
S V I B N Q V O G A H A B O D Z Q I W A R
I X T L T D E L I G H T F U L B W O Y W E
E I I E U L T V S A O F G A S H V S Y H C
W G N U I D I O T I C O P R I M G E P B O
D S G Q A Q O U T R A G E O U S L W Q F F
X F H F Q P Y B G I M C P M Z W P R Q C V
U Z C H U B B Y R T E A S A G L A Z N H V
D I S C R E E T O C R G C T O T L P E W H
E E K P A G L W O L E E A I D M E N B V B
R H U P E Y Y Y V O W Y R C L A S R U B X
I A I M C G I X Y U S Z E T Y L I G L I B
B T U J Q F N K Z D M I D R Y E M N O W N
L H U A S R G M N Y R Z X L Y U Q U U B I
T T D W U H I D E O U S F X F H P W S S X
H E S O L O L O X H I L A R I O U S M X K
```

IDIOTIC, SAD, GULLIBLE, GRANDIOSE, PALE, CAGEY, HIDEOUS, MALE, GROOVY, MATURE, AVAILABLE, POWERFUL, FASCINATED, CLOUDY, DRY, DELIGHTFUL, DISCREET, NEBULOUS, INNOCENT, MERE, SCARED, WAITING, INQUISITIVE, AROMATIC, HILARIOUS, LYING, OUTRAGEOUS, GODLY, ADHESIVE, CHUBBY

```
T  G  S  Q  B  S  U  R  X  Y  T  H  A  N  K  F  U  L  I  Q  Y
Z  F  H  O  B  G  O  D  L  Y  N  D  C  T  Q  I  A  R  F  C  P
H  D  X  B  R  W  A  T  D  O  E  C  O  M  M  O  N  N  K  J  Z
S  A  D  S  K  S  S  M  X  U  B  W  D  P  H  G  M  G  A  P  H
J  B  G  T  C  X  P  F  R  G  U  O  R  O  I  L  D  H  X  A  A
J  S  O  F  A  H  I  O  K  I  L  U  U  W  N  D  R  Y  E  L  M
M  A  L  E  G  B  R  C  H  T  O  T  N  E  S  L  X  R  C  E  T
D  Y  A  O  E  D  I  H  A  B  U  R  K  R  I  C  U  S  L  H  A
D  P  P  G  Y  W  N  U  L  P  S  A  E  F  D  B  C  Z  O  V  F
S  E  C  O  N  D  G  B  T  B  G  G  O  U  I  G  O  I  U  H  L
R  I  F  H  N  R  Z  B  I  M  V  E  B  L  O  D  Z  E  D  Y  L
H  Z  I  I  V  S  G  Y  N  B  V  O  I  W  U  N  U  G  Y  W  Y
V  Z  R  L  L  G  T  N  G  C  L  U  E  V  S  B  E  I  M  V  Q
M  E  S  A  L  R  L  H  J  B  B  S  X  W  A  I  T  I  N  G  M
R  L  T  R  N  A  H  A  N  D  S  O  M  E  L  Y  L  A  J  O  V
A  A  O  I  S  N  W  N  G  J  K  A  Z  S  C  A  R  E  D  A  J
Q  S  W  O  S  D  L  I  N  Q  U  I  S  I  T  I  V  E  U  V  L
X  T  Y  U  Y  I  D  I  F  F  E  R  E  N  T  J  T  B  U  D  A
I  I  D  S  E  O  A  Z  T  L  Y  I  N  G  C  H  Y  P  F  G  H
X  C  S  R  V  S  T  F  T  A  D  H  E  S  I  V  E  F  Z  I  U
L  V  R  M  P  E  U  M  W  C  A  L  C  U  L  A  T  I  N  G  H
```

POWERFUL, GRANDIOSE, HANDSOMELY, HALTING, ELASTIC, COMMON, ASPIRING, OUTRAGEOUS, DIFFERENT, CHUBBY, CLOUDY, CAGEY, LYING, INSIDIOUS, DRY, THANKFUL, FIRST, MALE, INQUISITIVE, PALE, ADHESIVE, SECOND, NEBULOUS, GODLY, CALCULATING, SCARED, DRUNK, HILARIOUS, WAITING, SAD

```
T A F K O X T R G R A N D I O S E H V V Y
A F C G Q F T C S J P P A U G F I R N K E
M M D F T D K A A M C V C O M M O N Q F L
J E W I L O N G D A S P I R I N G A Q F A
A Q E E T S U E E L J F L X U V L J J J S
T E R C X N Y Y L E A V A I L A B L E X T
S H I G H F A L U T I N F L C U F X X H I
M V A W A I T I N G D D G E E E A I N C C
W J D I S C R E E T E L P C N C S C T I F
A H F P I N N O C E N T S A P A C A H B K
M X Z C L O U D Y M L N I L A P I R I D Y
N N F K Y S C A R E D E J C Q Y N O L R G
O M D I F F E R E N T B S U P H A M A Y O
S G M Y G M X C X B U U E L A A T A R O E
I N M A T U R E C K Y L P A L L E T I J O
T H A N K F U L Z C Q O J T E T D I O O Q
V U K O U T R A G E O U S I T I M C U K D
G O D L Y Q P V Y W F S I N S N D U S Y W
Z I O G B P T G K V T N F G O G D P R U W
D W S A A E S E C F I R S T B R W H F Y A
B E B Y D D Z D W D R U N K W L N W G J T
```

OUTRAGEOUS, AVAILABLE, CALCULATING, DIFFERENT, FIRST, PALE, SCARED, DRY, INNOCENT, CLOUDY, ELASTIC, FASCINATED, MATURE, SAD, WAITING, HIGHFALUTIN, DRUNK, DISCREET, HILARIOUS, GODLY, ASPIRING, AROMATIC, MALE, HALTING, THANKFUL, COMMON, NEBULOUS, BAD, CAGEY, GRANDIOSE

Solutions

```
X  L  E  B  E  D  V  R  A  B  B  I  T  D  Y  Q  Z  N  V  A
I  R  O  R  F  Y  I  J  A  E  H  B  C  O  R  B  F  F  Z  R
Z  J  P  N  I  K  L  C  U  J  N  Q  J  N  R  H  O  R  S  E
Q  U  U  O  A  N  T  E  L  O  P  E  H  K  L  J  C  F  N  I
H  R  O  O  K  H  Q  T  V  J  K  Y  J  E  W  P  Y  Z  T  T
K  S  A  L  L  I  G  A  T  O  R  U  A  Y  B  I  E  C  P  T
M  U  W  L  E  F  J  O  Y  U  H  A  N  T  U  S  Q  A  T  G
V  B  A  A  N  G  L  E  R  F  I  S  H  P  A  A  A  T  L  O
A  A  R  D  W  O  L  F  D  H  W  R  C  X  U  L  L  T  E  Z
S  U  W  X  G  A  R  M  A  D  I  L  L  O  F  P  B  L  O  Z
A  I  A  P  O  A  A  R  D  V  A  R  K  Q  E  A  A  E  P  Y
N  F  P  F  A  A  N  G  E  L  F  I  S  H  L  C  T  P  A  U
A  I  E  C  T  Y  T  N  W  O  L  F  H  V  I  A  R  B  R  C
C  A  N  I  D  A  E  C  H  M  G  W  V  A  D  P  O  B  D  U
O  F  T  B  A  N  T  L  I  O  N  D  Y  B  A  E  S  S  H  K
N  O  L  P  R  P  I  G  Q  Z  S  O  S  A  E  F  S  A  T  R
D  X  O  H  N  X  J  A  Z  W  G  G  T  A  P  H  I  D  U  I
A  G  R  M  P  U  C  S  L  A  M  P  H  I  B  I  A  N  U  S
I  O  F  C  A  T  O  P  D  V  F  G  J  K  M  X  W  W  M  G
R  X  Z  Y  Z  G  C  Q  U  Z  Y  A  N  T  E  A  T  E  R  L
```

FOX, ANGLERFISH, DOG, AARDVARK, ANT, APE, ANTLION, ASP, APHID, ANTEATER,
ALPACA, ALLIGATOR, FELIDAE, CATTLE, CANIDAE, AMPHIBIAN, ANTELOPE, GOAT,
ANACONDA, HORSE, ALBATROSS, AARDWOLF, WOLF, DONKEY, ARMADILLO,
ANGELFISH, PIG, RABBIT, CAT, LEOPARD

```
V  G  Q  G  M  A  T  U  R  E  M  F  P  J  Z  V  D  I  F  M  X
L  Z  Y  C  N  G  R  A  N  D  I  O  S  E  N  P  F  N  W  L  X
N  Z  H  A  X  C  A  D  H  E  S  I  V  E  E  T  I  Q  U  O  B
Z  S  A  L  L  K  U  K  H  T  X  Z  Q  L  B  J  R  U  C  P  S
P  W  L  C  M  A  L  E  I  S  V  M  I  V  U  C  S  I  Y  K  U
O  A  T  U  X  O  C  Q  L  D  A  D  T  D  L  N  T  S  B  T  T
B  I  I  L  Z  L  W  E  A  I  S  I  H  T  O  U  J  I  H  Z  B
A  T  N  A  H  V  V  Q  R  S  P  S  A  O  U  W  W  T  I  Y  N
I  I  G  T  L  R  C  X  I  C  I  G  N  K  S  S  F  I  D  X  O
D  N  A  I  P  C  A  D  O  R  R  U  K  A  Y  D  X  V  E  C  X
N  G  H  N  T  Z  C  P  U  E  I  S  F  M  V  P  O  E  O  W  F
J  S  I  G  G  V  G  N  S  E  N  T  U  X  T  A  S  J  U  D  L
B  F  G  O  D  L  Y  N  O  T  G  E  L  L  F  L  H  J  S  X  C
V  G  M  A  Z  M  P  H  L  B  C  D  I  F  F  E  R  E  N  T  R
D  X  R  U  Y  E  J  L  C  H  U  B  B  Y  I  A  O  A  N  O  Z
S  G  F  C  J  L  T  Y  G  U  S  A  D  P  P  N  D  G  S  D  B
E  S  X  W  W  A  V  I  K  C  F  N  S  T  R  A  N  G  E  R  M
C  U  F  L  B  S  I  N  N  O  C  E  N  T  B  V  V  O  N  U  V
O  M  Q  F  Q  T  W  G  O  U  T  R  A  G  E  O  U  S  T  N  G
N  V  S  S  R  I  H  I  G  H  F  A  L  U  T  I  N  B  C  K  N
D  Z  N  A  O  C  U  R  I  E  I  Z  V  I  D  I  O  T  I  C  H
```

GODLY, CHUBBY, ASPIRING, HILARIOUS, DIFFERENT, ELASTIC, SAD, MATURE, CALCULATING, STRANGE, DRUNK, HALTING, SECOND, NEBULOUS, WAITING, THANKFUL, HIDEOUS, GRANDIOSE, PALE, HIGHFALUTIN, DISCREET, LYING, MALE, OUTRAGEOUS, ADHESIVE, DISGUSTED, INNOCENT, INQUISITIVE, FIRST, IDIOTIC

```
B  D  D  T  K  V  E  D  B  Y  D  F  P  O  W  E  R  F  U  L
D  I  I  N  N  O  C  E  N  T  S  O  M  H  I  R  V  L  N  J
R  S  C  T  J  O  M  I  V  U  G  E  L  A  S  T  I  C  P  W
U  C  L  H  V  X  L  T  C  U  R  D  I  F  F  E  R  E  N  T
N  R  O  A  E  S  E  H  W  F  A  S  P  I  R  I  N  G  E  N
K  E  U  N  X  T  B  A  H  A  N  D  S  O  M  E  L  Y  P  Q
M  E  D  K  L  R  N  A  A  H  D  D  Y  X  R  I  S  P  L  A
T  T  Y  F  B  A  M  A  L  E  I  H  M  F  Z  D  L  V  F  V
P  H  N  U  S  N  G  U  D  S  O  I  W  D  O  I  Y  E  T  A
U  T  D  L  B  G  O  H  P  L  S  D  P  L  S  O  I  S  V  I
F  I  R  S  T  E  E  B  F  U  E  E  C  G  V  T  N  X  M  L
H  I  L  A  R  I  O  U  S  A  Y  O  U  R  R  I  G  X  R  A
R  W  A  I  T  I  N  G  V  J  P  U  M  L  K  C  U  K  D  B
F  A  S  C  I  N  A  T  E  D  T  S  A  B  R  L  G  C  D  L
D  E  N  P  A  L  E  X  D  Q  T  P  T  S  J  M  M  E
M  A  G  U  L  L  I  B  L  E  D  D  U  X  X  W  G  E  E  Y
R  I  N  S  I  D  I  O  U  S  N  C  R  L  F  M  I  D  R  B
V  Y  Y  W  G  I  G  S  A  A  D  H  E  S  I  V  E  K  E  G
O  U  T  R  A  G  E  O  U  S  T  S  Z  F  S  N  B  X  J  X
W  K  M  R  S  B  R  H  B  J  A  S  C  A  R  E  D  Z  Y  E
```

AVAILABLE, ADHESIVE, OUTRAGEOUS, HIDEOUS, MATURE, MERE, STRANGE, INNOCENT, PALE, HILARIOUS, LYING, POWERFUL, GRANDIOSE, FIRST, HANDSOMELY, FASCINATED, DIFFERENT, DISCREET, ASPIRING, MALE, INSIDIOUS, CLOUDY, THANKFUL, GULLIBLE, ELASTIC, IDIOTIC, WAITING, SCARED, DRUNK

```
X I D W H U U T T J Q I T S T S Z S S T U
C H R F N E W D I S G U S T E D G Z W E C
O I U P H X F T N H A L T I N G O A N I A
M D N N R I P U N S E C O N D J D R Z T L
M E K E C T D N O G F I R S T O L F K J C
O O E L A S T I C M H O M A R W Y A P B U
N U O S W B P L E N G R A N D I O S E Q L
R S I M K O E S N M X A H H T U A C V X A
W R Z A U U V C T E B T V V V P G I C I T
E O W T I U Z A K M C H U B B Y I N N A I
Q Y H U I T X R X A D N X O Q O E A E Y N
T J B R B P J E U L O Q C V V Z J T B C G
E R M E F A A D H E S I V E D A N E U A Y
W X V H I L A R I O U S W A I R Y D L G A
B M E R E E B O S L B R L S S O M P O E S
L O U T R A G E O U S Z Y B C M H L U Y Y
T E P F H Q I U S A D F I G R A L F S X I
J G H I G H F A L U T I N E E T M J L G E
X D E L I G H T F U L X C E E I X V N L O
R U Y U P D E C Q Z L N M V T C L G M W M
N P F P K D Y H E T H A N K F U L N R O S
```

CHUBBY, OUTRAGEOUS, SCARED, GODLY, MALE, INNOCENT, COMMON, FASCINATED, NEBULOUS, CAGEY, DRUNK, SAD, DISCREET, PALE, ADHESIVE, FIRST, HILARIOUS, HIDEOUS, HIGHFALUTIN, MERE, HALTING, GRANDIOSE, ELASTIC, THANKFUL, AROMATIC, DELIGHTFUL, DISGUSTED, MATURE, CALCULATING, SECOND

```
T P T T I C N S P L V O K X J M A E N A A
U D U G M A T U R E Q D A T L E F N O E E
J V V G W I C R A B J P U D X L N L S D M
T B S V V H L W O U T R A G E O U S T M H
S E C O N D O L Y J N W X I A Q S V R H J
Z W V W Y Z U J B D R U N K I I X A A T Q
Z A G E A E D A S P I R I N G N G V N H Z
E I S F F J Y C C A G E Y E I Q R A G A M
S T B I O R U S E P L Y I N G U A I E N J
N I K N C A L C U L A T I N G I N L M K O
J N S N K I K A D H E S I V E S D A E F S
V G R O J N N E B U L O U S S I I B Q U U
M H P C H S P F I D I O T I C T O L F L I
A G Y E D I S C R E E T B W A I S E C U X
V F B N C D I S G U S T E D R V E Y B E D
S H T T H I I G P Y R D V P E E R P M F R
M T S D U O H O F I R S T Q D Z U Z C E Y
K B M S B U Z D N I P S A E L A S T I C W
B H E J B S K L V Q Q Y H A L T I N G P V
L V R W Y I V Y L J K G N C G G N K H Z I
U K E M F W R I E X B C Q O P A R T J W C
```

CLOUDY, CALCULATING, MATURE, AVAILABLE, DISCREET, OUTRAGEOUS, ELASTIC, LYING, INNOCENT, ASPIRING, IDIOTIC, GRANDIOSE, CHUBBY, DRUNK, INQUISITIVE, SCARED, SECOND, INSIDIOUS, DISGUSTED, HALTING, THANKFUL, STRANGE, MERE, DRY, ADHESIVE, CAGEY, WAITING, FIRST, NEBULOUS, GODLY

E	A	D	F	S	E	G	U	L	L	I	B	L	E	T	P	G	A	M	Q	H
L	V	I	I	P	R	L	G	E	R	B	X	T	A	B	K	T	C	H	X	F
A	A	F	R	I	Z	Y	C	X	E	Y	B	H	I	L	A	R	I	O	U	S
S	I	F	S	C	V	I	D	P	M	I	N	Q	U	I	S	I	T	I	V	E
T	L	E	T	U	J	N	M	V	C	N	F	A	D	C	K	T	E	Q	A	O
I	A	R	P	D	R	G	O	X	Z	E	A	D	R	A	G	Y	F	E	K	L
C	B	E	C	A	G	E	Y	Y	B	B	W	H	U	L	R	O	Z	V	L	E
I	L	N	I	N	S	I	D	I	O	U	S	E	N	C	M	Q	O	N	X	P
E	E	T	H	A	N	K	F	U	L	S	S	K	U	A	V	R	T	Q	H	
M	A	L	E	H	W	O	B	T	X	O	W	I	H	L	R	F	V	X	M	Z
R	H	O	U	T	R	A	G	E	O	U	S	V	D	A	Q	A	G	H	E	S
B	D	G	W	I	Z	E	F	R	E	S	V	E	M	T	A	S	R	A	R	A
F	S	Z	L	C	H	I	G	H	F	A	L	U	T	I	N	C	A	N	E	D
C	L	O	U	D	Y	F	A	J	T	P	Q	S	L	N	A	I	N	D	Y	H
D	G	J	O	S	D	I	S	G	U	S	T	E	D	G	V	N	D	S	O	U
K	H	X	E	E	V	M	X	D	S	C	A	R	E	D	Z	A	I	O	S	Q
W	C	F	V	C	U	P	A	L	E	R	H	G	S	S	U	T	O	M	M	S
V	Z	C	O	O	X	G	O	D	L	Y	K	Z	X	G	M	E	S	E	V	A
F	F	Z	Z	N	N	G	J	P	K	H	J	P	C	N	G	D	E	L	R	D
Q	Z	N	E	D	E	X	V	E	L	J	T	S	O	P	J	Y	J	Y	H	B
B	I	D	I	O	T	I	C	Z	Y	Y	B	F	W	W	V	S	T	F	T	T

GRANDIOSE, CAGEY, LYING, FIRST, PALE, CLOUDY, DRUNK, OUTRAGEOUS, INSIDIOUS, INQUISITIVE, HIGHFALUTIN, MERE, SECOND, SAD, GULLIBLE, MALE, HILARIOUS, NEBULOUS, ELASTIC, AVAILABLE, GODLY, IDIOTIC, FASCINATED, CALCULATING, DISGUSTED, THANKFUL, DIFFERENT, ADHESIVE, HANDSOMELY, SCARED

```
M  A  P  P  D  I  V  Y  C  M  A  L  E  T  K  Q  B  Q  X  H  G
P  R  L  B  Z  H  K  T  H  C  Z  O  H  I  L  A  R  I  O  U  S
X  L  G  U  M  C  A  G  E  Y  M  I  U  S  D  C  Y  A  T  L  K
C  K  U  P  Q  D  I  F  F  E  R  E  N  T  G  A  E  I  K  B  I
L  I  L  P  O  U  T  R  A  G  E  O  U  S  U  N  S  E  V  D  N
N  N  L  S  A  D  Q  A  W  L  I  M  Q  R  G  C  C  V  J  I  S
M  N  I  Z  L  C  H  Z  T  Y  F  O  K  U  K  W  A  D  X  S  I
L  O  B  I  N  Q  U  I  S  I  T  I  V  E  O  I  R  C  Z  C  D
U  C  L  Y  D  M  K  Y  R  N  K  V  T  P  N  F  E  T  H  R  I
B  E  E  S  Q  V  W  T  B  G  E  I  H  O  G  Z  D  F  X  E  O
V  N  X  E  L  A  S  T  I  C  D  D  I  W  H  U  Q  H  T  E  U
V  T  B  A  R  U  I  A  G  E  R  I  D  E  L  G  J  A  G  T  S
R  M  F  I  R  S  T  D  O  P  U  O  E  R  R  R  Y  L  D  D  E
V  K  I  H  A  Y  M  U  D  P  N  T  O  F  D  A  J  T  Q  M  Y
P  I  Y  K  D  Y  I  H  L  P  K  I  U  U  G  N  Z  I  L  P  N
N  A  W  G  H  W  M  Y  Y  W  T  C  S  L  I  D  P  N  X  Y  V
O  A  Z  Q  E  N  E  B  U  L  O  U  S  C  D  I  Y  G  X  W  Q
E  R  I  Q  S  S  R  W  A  I  T  I  N  G  A  O  B  G  L  U  H
M  O  I  Y  I  L  E  A  S  P  I  R  I  N  G  S  Y  B  F  L  C
H  Z  E  G  V  M  A  T  U  R  E  V  B  R  H  E  E  F  S  J  M
Z  K  Q  T  E  Z  A  V  A  I  L  A  B  L  E  M  U  I  V  P  N
```

HILARIOUS, OUTRAGEOUS, SAD, INNOCENT, ELASTIC, AVAILABLE, ADHESIVE, NEBULOUS, GULLIBLE, GODLY, DRUNK, GRANDIOSE, LYING, SCARED, DISCREET, MERE, HALTING, FIRST, INQUISITIVE, HIDEOUS, INSIDIOUS, CAGEY, POWERFUL, MALE, MATURE, ASPIRING, DIFFERENT, IDIOTIC, WAITING

S	E	C	O	N	D	W	Q	I	R	Z	U	N	S	R	R	V	C	P	Q	S
X	D	O	A	E	L	A	S	T	I	C	K	V	Q	U	O	R	G	W	W	P
C	E	A	P	I	M	Q	C	L	O	U	D	Y	V	A	J	S	R	L	E	V
M	L	B	S	N	I	E	S	Q	A	R	O	M	A	T	I	C	J	V	W	S
H	I	C	Z	S	D	L	Y	R	G	N	W	W	H	D	R	Y	N	L	Y	A
A	G	V	H	I	I	S	T	R	A	N	G	E	P	L	R	L	N	C	U	R
L	H	W	J	D	S	Z	C	O	M	M	O	N	T	J	B	M	H	G	V	Y
T	T	L	L	I	G	D	H	H	Z	J	N	S	F	G	L	J	A	Q	K	H
I	F	H	I	O	R	U	M	A	Q	T	W	A	I	T	I	N	G	Q	D	
N	U	A	U	U	E	U	B	N	G	N	L	I	S	E	L	Q	D	L	O	I
G	L	C	T	S	L	N	B	U	J	V	L	W	C	U	G	C	S	X	L	S
Q	M	A	L	E	S	K	Y	N	I	C	Y	N	I	Y	O	A	O	V	R	G
G	B	G	R	O	O	V	Y	I	Q	T	U	M	N	E	D	A	M	D	P	U
B	L	O	F	D	I	F	F	E	R	E	N	T	A	I	L	V	E	I	O	S
J	T	H	A	N	K	F	U	L	J	V	F	Q	T	N	Y	A	L	S	P	T
P	U	W	L	H	I	L	A	R	I	O	U	S	E	K	R	I	Y	C	E	E
L	N	C	A	L	C	U	L	A	T	I	N	G	D	Z	O	L	V	R	P	D
S	C	A	R	E	D	G	Z	D	O	O	G	C	X	E	N	A	F	E	X	C
H	Y	S	X	X	E	N	E	B	U	L	O	U	S	K	H	B	O	E	Q	U
M	I	N	N	O	C	E	N	T	B	T	T	V	L	I	O	L	Q	T	U	A
M	P	A	L	E	K	G	Z	I	P	V	T	L	E	T	W	E	Z	L	B	W

FASCINATED, CHUBBY, INNOCENT, SECOND, CALCULATING, ELASTIC, DRUNK,
AVAILABLE, DISGUSTED, PALE, DIFFERENT, NEBULOUS, GROOVY, INSIDIOUS, MALE,
STRANGE, WAITING, HILARIOUS, COMMON, SCARED, DRY, GODLY, DISCREET,
HANDSOMELY, DELIGHTFUL, THANKFUL, AROMATIC, HALTING, CLOUDY

```
U G Z K Y Z G F E I T A D H E S I V E P H
K Z B C S W L H L N P C O A J U N Y O L A
X D C L O U D Y A N O Y S P Y M S K U V L
A R E P Y D R J S O V K Q O G F I R Q H T
V U N P F L J A T C S L P W M K D X R I I
A N M S F U M Y I E R N H E L Y I N G G N
I K A S M E R E C N G I C R T D O Y O H G
L Z T V C C F V A T D R Y F V F U H Q F Y
A I U D A S P I R I N G W U C E S A V A I
B B R I P S A D W L O W K L Y X I N Q L A
L F E S W Q U T H A N K F U L O W D I U R
E T B G A C A L C U L A T I N G F S G T E
P Q A U C G C Q J I D I O T I C Y O S I Y
L F J S A H I L A R I O U S B W E M C N I
H X R T G R A N D I O S E T X A R E A H B
S G O E P N E B U L O U S E K I R L R U B
N G Z D J F M A L E T P T Y I T Y Y E S O
B Y W N F B X F H I D E O U S I U E D T O
Y K M B Z K S C A G E Y J V U N U U W I A
A A X P A L E Z Q M I L N F X G E I J L K
M Z S T J J Q H Q Z S W X E T U D Y Z O V
```

LYING, IDIOTIC, DISGUSTED, WAITING, ASPIRING, MATURE, HILARIOUS, GRANDIOSE, INNOCENT, INSIDIOUS, HANDSOMELY, AVAILABLE, CLOUDY, HALTING, PALE, MALE, ELASTIC, HIGHFALUTIN, HIDEOUS, SAD, CAGEY, THANKFUL, DRY, ADHESIVE, POWERFUL, MERE, CALCULATING, DRUNK, SCARED, NEBULOUS

```
D E H N A A Z R H M E Y A P K Y L O U W L
R A A N I H E N G B V O J M W S C H K B Z
Y P L O D X L Z E T R G Z H P G V M H R Y
Q C T U I S A W E Y Y V E T N U P G H R V
V T I T O D S S C A R E D N C W O W G E T
Y D N R T L T S Y H I L A R I O U S C K V
S T G A I U I N Q U I S I T I V E T W A N
L W A G C W C P N D H V V U J D H F A L Y
U X L E A W J T E X A U K A S P I R I N G
I N N O C E N T B M N G V I H M N T T M T
V H L U O T M G U W D D W F I R S T I P H
S N K S E L Y O L O S P D D G F I J N O A
N M X C E Y V D O X O O A I H A D W G Z N
Y A R R I L L U E M W V S F S I S K C C K
L L I N N M Y S C E E A C A C O T L H F
L E T G I G V Z S G L R I R L I U R W U U
C S C A G E Y L J Q Y F L E U N S A I B L
M L V D W E R M R I J U A E T A W N D B H
E Q D S E C O N D T D L B T I T D G J Y H
R D I F F E R E N T J F L H N E P E U E K
E I A N H I D E O U S N E G X D H M I S O
```

GODLY, OUTRAGEOUS, FIRST, HALTING, AVAILABLE, POWERFUL, MERE, CAGEY, HILARIOUS, HANDSOMELY, THANKFUL, INQUISITIVE, INSIDIOUS, STRANGE, DIFFERENT, DISCREET, INNOCENT, ASPIRING, WAITING, HIGHFALUTIN, SCARED, FASCINATED, MALE, LYING, SECOND, NEBULOUS, CHUBBY, IDIOTIC, HIDEOUS, ELASTIC

```
Y  V  V  P  W  A  I  T  I  N  G  A  N  B  C  A  L  P  N  N  H
S  D  D  I  X  N  D  I  F  F  E  R  E  N  T  X  K  O  F  E  I
I  E  H  N  H  Y  O  W  P  F  I  S  C  A  R  E  D  W  B  B  L
Z  L  E  S  E  G  T  A  L  D  B  C  W  I  A  C  H  E  K  U  A
A  I  E  I  N  F  M  A  T  U  R  E  A  N  A  J  Q  R  Q  L  R
D  G  B  D  U  H  S  X  Y  H  F  J  V  N  L  C  T  F  L  O  I
H  H  Q  I  C  A  S  A  D  I  A  C  A  O  L  G  B  U  E  U  O
E  T  C  O  G  N  F  Y  B  G  S  S  I  C  L  Q  W  L  T  S  U
S  F  O  U  I  D  R  H  A  H  C  A  L  E  L  F  M  E  R  E  S
I  U  M  S  G  S  A  H  D  F  I  S  A  N  T  S  J  K  N  N  Z
V  L  M  K  R  O  L  O  W  A  N  P  B  T  S  T  R  A  N  G  E
E  A  O  C  O  M  Y  L  W  L  A  I  L  T  H  A  N  K  F  U  L
B  R  N  Z  O  E  I  M  N  U  T  R  E  A  F  Q  Z  S  Z  N  A
D  R  Y  E  V  L  N  B  L  T  E  I  J  Y  I  E  D  E  I  G  C
K  U  C  E  Y  Y  G  L  G  I  D  N  C  O  R  U  B  M  B  V  Q
H  A  L  T  I  N  G  O  A  N  G  G  O  S  S  L  I  Z  U  O  I
X  S  G  R  A  N  D  I  O  S  E  O  H  V  T  H  V  X  O  C  H
H  T  X  G  X  C  C  G  I  A  O  U  T  R  A  G  E  O  U  S  I
Z  W  W  P  A  W  A  R  H  O  X  G  S  Z  S  I  L  L  B  V  Y
B  R  H  N  M  P  C  D  A  Y  W  Q  L  S  M  G  W  G  R  I  P
U  G  U  K  R  O  C  A  L  C  U  L  A  T  I  N  G  W  T  U  A
```

ADHESIVE, OUTRAGEOUS, DELIGHTFUL, GROOVY, WAITING, LYING, MERE,
CALCULATING, DRY, SCARED, INSIDIOUS, AVAILABLE, MATURE, THANKFUL, FIRST,
SAD, GRANDIOSE, COMMON, DIFFERENT, HIGHFALUTIN, FASCINATED, HALTING,
STRANGE, ASPIRING, HANDSOMELY, INNOCENT, BAD, NEBULOUS, HILARIOUS,
POWERFUL

```
J T U X I D I O T I C E T D P J X I Q X B
Y M V C I T C O R C S A Y R S Q I S W B S
I N N O C E N T A H T D P U L E N W O N G
N D E R A N G E D V W R I N G A S N E Q A
Y M M C H T B H E F B Y L K E D I Y E D V
R M G H F N Z I D B W J O U N I D C Y J A
B I G I S Z C L O U D Y C L E S I H O R I
M C O D Y F J A H L Y I N G R C O U K H L
E E L E Q H E R A N G C W V A R U B N I A
R G K O P A L I N E O C D T L E S B H G B
E R P U A L A O D B D X I V R E Q Y Q H L
G A O S L T S U S U L J S Y H T F Q Y F E
F N W H E I T S O L Y P G B F S A D U A R
T D N Q G N I K M O S L U L P B G W H L M
A I V W A G C U E U Z X S T H A N K F U L
Z O C L U Y I W L S T T N A A B I U T Z
I S M Y T W C F Y T W T E Q Y K N E T I J
D E L I G H T F U L J C D G G J P J T N J
A D H E S I V E Z E U L F S T Z Z W W B A
R X G U L L I B L E Q M B F J B I C N A Y
I Y L H Q L C Z B M T U A N B A M A L E H
```

HIDEOUS, HILARIOUS, HALTING, AVAILABLE, HIGHFALUTIN, DISGUSTED, THANKFUL, HANDSOMELY, GENERAL, DERANGED, MALE, GRANDIOSE, DRUNK, CLOUDY, INNOCENT, INSIDIOUS, NEBULOUS, IDIOTIC, GULLIBLE, DELIGHTFUL, CHUBBY, LYING, PALE, DISCREET, SAD, MERE, DRY, GODLY, ADHESIVE, ELASTIC

```
V  K  A  D  H  S  W  H  Q  V  D  S  A  D  A  E  U  E  B  A  A
C  K  U  W  D  M  E  R  E  Z  I  Q  B  F  S  L  C  P  B  Z  M
H  I  D  E  O  U  S  T  C  A  S  T  D  A  I  A  G  T  X  A  Z
R  F  B  T  M  P  B  N  H  R  C  Y  I  S  B  S  S  W  Q  A  M
U  H  I  L  A  R  I  O  U  S  R  U  S  C  O  T  U  X  L  C  A
N  E  B  U  L  O  U  S  B  T  E  F  G  I  K  I  O  R  U  L  T
A  D  H  E  S  I  V  E  B  T  E  Z  U  N  R  C  Y  N  Z  O  U
B  D  T  T  A  Y  L  P  Y  O  T  O  S  A  I  Z  X  J  L  U  R
Q  L  H  S  R  P  G  L  X  C  M  F  T  T  S  E  C  O  N  D  E
D  H  A  I  O  P  O  C  S  Z  A  G  E  E  A  O  Q  U  H  Y  O
F  Q  N  W  M  E  D  U  X  Y  U  P  D  D  M  F  H  B  S  I  I
W  I  K  T  A  T  L  X  O  S  M  A  I  X  T  P  I  T  T  F  O
Q  Z  F  U  T  B  Y  A  V  A  I  L  A  B  L  E  G  V  R  A  Z
T  F  U  D  I  T  F  S  C  A  R  E  D  F  L  N  H  F  A  X  D
G  O  L  R  C  U  B  H  T  W  A  I  T  I  N  G  F  J  N  Q  X
N  D  D  Q  G  I  N  S  I  D  I  O  U  S  H  F  A  N  G  Q  B
C  R  D  I  F  F  E  R  E  N  T  E  H  S  C  D  L  C  E  U  C
E  Y  I  N  Q  U  I  S  I  T  I  V  E  H  U  K  U  Z  A  V
V  C  E  D  E  Z  T  I  I  N  N  O  C  E  N  T  T  K  F  G  H
E  T  C  C  A  L  C  U  L  A  T  I  N  G  Q  L  I  A  K  L  S
U  X  E  O  Q  K  I  T  G  U  L  L  I  B  L  E  N  M  A  M  P
```

HIGHFALUTIN, CLOUDY, MERE, SAD, GODLY, DISGUSTED, STRANGE, WAITING, AROMATIC, INQUISITIVE, CHUBBY, PALE, FASCINATED, HILARIOUS, THANKFUL, ELASTIC, INNOCENT, DRY, DISCREET, SECOND, DIFFERENT, ADHESIVE, MATURE, CALCULATING, INSIDIOUS, SCARED, AVAILABLE, GULLIBLE, HIDEOUS, NEBULOUS

O E Y B E O M N E B U L O U S K C E P R N
X N C A L F A L I V A S U W F C A G E Y J
X X Z S M Y T Y W W V R J C A G R O O V Y
I L S P Y S U N A A A L Y A S C L O U D Y
V P N I U O R F O I I N L L C K D T O G D
V D L R M R E E W B L B S C I R I W U S I
R I Q I S C D O I T A B R U N S F S T I S
G I N N O C E N T Y B N R L A Q F K R K C
N I B G N H H G O D L Y S A T Q E R A C R
E L G A Y F I R S T E F C T E P R D G H E
X H I L A R I O U S X Y D I D A E R E U E
I H N K P X L U P S E C O N D L N B O B T
X C S V O K H L O W B P C G A E T F U B A
H K I I R D E A W E D U T V A S A D S Y Y
T G D D R U N K E L A K M D M H T B C Z S
S N I A B T T F R A F O K F W A I T I N G
G G O Q W F L A F S B A R O M A T I C M Q
O E U Z Q L V Z U T M D L W I D I O T I C
E Z S X N S D E L I G H T F U L M R U V D
J R A P Z X X R J C H I D E O U S W T L N
W W C H E G H U S S T R A N G E M K J N Z

AROMATIC, POWERFUL, CHUBBY, WAITING, DRUNK, STRANGE, AVAILABLE, MATURE, DISCREET, SAD, FASCINATED, ASPIRING, NEBULOUS, CAGEY, HILARIOUS, GROOVY, FIRST, ELASTIC, INNOCENT, OUTRAGEOUS, IDIOTIC, DELIGHTFUL, CLOUDY, CALCULATING, DIFFERENT, GODLY, INSIDIOUS, PALE, HIDEOUS, SECOND

M	D	I	S	C	R	E	E	T	U	O	S	V	A	R	I	D	T	K	I	U
K	R	Y	M	K	F	C	L	O	U	D	Y	G	O	N	J	I	P	D	N	G
M	Q	L	W	P	F	I	R	S	T	J	K	W	L	P	S	D	E	I	Q	R
I	D	Q	B	W	D	U	B	C	X	I	D	H	Y	E	Q	I	L	S	U	L
A	R	A	D	H	E	S	I	V	E	W	O	M	I	Q	W	O	Y	G	I	V
Y	G	S	N	E	B	U	L	O	U	S	A	X	N	V	Y	T	R	U	S	C
T	H	I	G	H	F	A	L	U	T	I	N	X	G	M	Z	I	H	S	I	A
R	W	T	H	A	N	K	F	U	L	Z	Q	D	Z	Z	U	C	R	T	T	L
L	I	V	H	R	D	N	D	O	R	P	O	W	E	R	F	U	L	E	I	C
S	F	K	J	Z	I	G	S	U	H	I	L	A	R	I	O	U	S	D	V	U
A	F	Y	B	F	W	O	C	T	B	N	E	Q	P	O	R	V	A	C	E	L
K	P	X	C	A	O	R	V	R	G	N	L	A	S	P	I	R	I	N	G	A
J	H	P	A	S	B	Y	Z	A	O	O	A	D	W	H	G	T	Q	W	N	T
E	G	E	V	C	M	S	B	G	D	C	S	I	Z	L	G	O	L	N	T	I
H	J	S	A	I	F	S	S	E	L	E	T	W	A	I	T	I	N	G	O	N
A	J	W	I	N	M	T	C	O	Y	N	I	N	S	I	D	I	O	U	S	G
L	X	C	L	A	V	R	O	U	A	T	C	Y	M	E	R	E	U	E	O	U
T	P	W	A	T	S	A	M	S	H	H	C	D	I	F	F	E	R	E	N	T
I	B	O	B	E	R	N	C	H	U	B	B	Y	I	C	B	Z	E	B	T	B
N	V	J	L	D	V	G	U	Y	V	D	R	Y	N	C	G	G	L	Z	O	W
G	K	N	E	E	Y	E	S	B	P	A	L	E	E	Q	L	J	R	Z	J	U

AVAILABLE,CLOUDY,GODLY,HALTING,INNOCENT,INSIDIOUS,THANKFUL,LYING,
NEBULOUS,POWERFUL,HILARIOUS,DISCREET,FASCINATED,CHUBBY,DRY,
STRANGE,ADHESIVE,PALE,CALCULATING,ASPIRING,IDIOTIC,ELASTIC,
INQUISITIVE,FIRST,OUTRAGEOUS,HIGHFALUTIN,DISGUSTED,DIFFERENT,
WAITING,MERE

```
H T H A N K F U L C V X F H L J P M X K Q
H A L T I N G F M A S S B I E G P G O B F
H Q Z E Q D D L A L X C Y L Q L R W I F N
Z G O D L Y N I V C N A V A F L C U H D L
E H E G A R D D A U L R O R L I L J I D M
A I M E R E D I L M E K I E C O B D L W
W G N F L Z C E L A X D K O B T U K E C J
N H Q K A R O M A T I C N U F X D A O D D
H F U T R V V D B I X C U S H R Y U U C I
X A I C Z L D R L N C O M M O N L M S E S
G L S V R R K U E G R D I F F E R E N T G
N U I M G V P N K B Y E L A S T I C J F U
O T T U I D K N F D E L I G H T F U L S
A I I Z L L Y I N G G F P O R V V S Z G T
D N V M L W D C I N N O C E N T R B L S E
H G E A I P O W E R F U L D N E G H V F D
E F V T B A D K B Z W P B P L N W D J S J
S S N U L N D R Y Q K L K E Y S D X Y W J
I J K R E J F A S C I N A T E D H I Q Q K
V G Q E J D C A G E Y G F S Z S V C M D J
E I V W M F N P D L F R S T R A N G E E S
```

INNOCENT, LYING, AVAILABLE, GULLIBLE, AROMATIC, HALTING, POWERFUL, STRANGE, SCARED, CLOUDY, ADHESIVE, CAGEY, BAD, MERE, DIFFERENT, HIDEOUS, MATURE, DRUNK, CALCULATING, DRY, ELASTIC, DELIGHTFUL, GODLY, FASCINATED, COMMON, DISGUSTED, THANKFUL, INQUISITIVE, HIGHFALUTIN, HILARIOUS

F	X	E	F	F	D	F	J	H	H	I	G	H	F	A	L	U	T	I	N	F
X	H	J	S	A	F	G	E	U	O	N	B	U	N	D	I	K	W	Q	T	Z
E	I	V	A	L	J	L	B	R	I	S	Q	W	M	C	L	O	U	D	Y	C
N	G	P	W	E	Y	W	W	U	H	I	A	T	Z	Q	W	C	A	G	E	Y
A	U	Q	W	N	H	Y	M	L	V	D	T	M	D	G	U	Q	H	E	V	I
L	L	R	G	Q	L	K	V	O	E	I	G	D	R	U	N	K	N	O	M	P
P	L	V	A	L	H	X	D	U	A	O	P	O	W	E	R	F	U	L	E	A
P	I	V	D	F	I	M	K	T	S	U	Y	C	D	G	A	E	O	M	R	R
U	B	W	H	A	L	A	J	R	P	S	O	J	C	C	K	A	W	V	E	O
H	L	J	E	S	A	T	O	A	I	L	Y	I	N	G	A	S	C	D	H	M
V	E	C	S	C	R	U	A	G	R	Q	A	V	A	I	L	A	B	L	E	A
K	D	D	I	I	I	R	I	E	I	S	E	C	O	N	D	R	J	F	N	T
D	Z	I	V	N	O	E	V	O	N	B	C	G	P	A	A	O	I	U	F	I
R	V	S	E	A	U	R	D	U	G	S	H	A	L	T	I	N	G	Y	G	C
Y	V	C	P	T	S	L	S	S	L	C	A	L	C	U	L	A	T	I	N	G
V	R	R	X	E	Y	B	A	X	L	F	N	H	C	T	O	F	K	M	S	G
F	L	E	X	D	B	A	D	O	X	B	H	A	N	D	S	O	M	E	L	Y
E	X	E	J	R	I	N	F	B	Y	Z	Z	V	V	X	P	B	B	Y	Y	Y
F	V	T	A	I	N	N	O	C	E	N	T	J	J	Z	A	R	M	I	S	S
I	N	Q	U	I	S	I	T	I	V	E	M	F	L	Z	L	O	A	O	F	A
L	X	T	E	U	S	D	I	C	F	E	E	Q	R	H	E	E	A	N	B	S

MERE, AVAILABLE, CAGEY, CALCULATING, HANDSOMELY, HILARIOUS, INQUISITIVE, DRUNK, INSIDIOUS, DRY, GULLIBLE, SECOND, AROMATIC, MATURE, SAD, OUTRAGEOUS, ASPIRING, POWERFUL, HALTING, DISCREET, PALE, CLOUDY, FASCINATED, ADHESIVE, LYING, INNOCENT, HIGHFALUTIN

```
D  S  M  A  R  O  M  A  T  I  C  K  H  Y  W  O  C  H  C  K  F
X  F  J  H  A  D  D  D  W  A  I  T  I  N  G  E  U  V  W  L  A
D  P  J  F  D  M  V  H  A  V  A  I  L  A  B  L  E  G  T  N  B
G  O  D  L  Y  Q  E  E  T  E  H  L  A  F  U  X  Q  V  Q  F  F
M  F  Q  M  S  L  N  S  N  O  R  E  R  Q  D  W  X  R  S  W  H
K  S  C  W  E  Y  D  I  D  R  Y  L  I  W  D  K  R  Z  I  E  J
R  I  A  D  B  I  P  V  Y  D  C  A  O  G  R  C  H  U  B  B  Y
F  Y  L  G  J  N  M  E  M  E  B  S  U  U  U  U  Y  A  S  A  D
T  E  C  R  L  G  A  F  V  G  B  T  S  D  N  K  K  P  A  L  E
O  G  U  A  J  O  T  Q  E  E  G  I  M  F  K  P  C  I  R  X  M
U  J  L  N  I  Q  U  T  Q  F  X  C  I  N  S  I  D  I  O  U  S
T  K  A  D  N  L  R  K  M  H  M  Z  M  T  R  U  T  T  J  M  I
R  D  T  I  N  L  E  H  A  N  D  S  O  M  E  L  Y  M  S  L  D
A  I  I  O  F  M  A  U  Y  K  S  T  R  A  N  G  E  N  C  I
G  S  N  S  F  N  S  B  V  P  O  W  E  R  F  U  L  E  J  O
E  C  G  E  E  D  I  F  F  E  R  E  N  T  D  L  A  B  B  R  T
O  R  N  U  N  V  U  J  G  P  T  E  V  H  I  D  E  O  U  S  I
U  E  Y  W  T  A  I  W  J  W  G  Z  Q  P  H  S  Y  J  L  H  C
S  E  S  E  C  O  N  D  S  B  S  X  K  P  X  C  J  I  O  X  M
J  T  F  A  S  C  I  N  A  T  E  D  C  V  L  W  W  R  U  Z  M
C  W  T  N  C  L  O  U  D  Y  R  R  I  R  I  Z  J  A  S  F  Y
```

MATURE, HANDSOMELY, INNOCENT, DISCREET, HILARIOUS, ELASTIC, GRANDIOSE, FASCINATED, DRY, CLOUDY, LYING, ADHESIVE, GODLY, AROMATIC, SAD, STRANGE, SECOND, INSIDIOUS, DIFFERENT, CALCULATING, WAITING, DRUNK, HIDEOUS, AVAILABLE, POWERFUL, CHUBBY, IDIOTIC, NEBULOUS, OUTRAGEOUS, PALE

Word Search Puzzle

```
M E D R X Q E E S T R A N G E Q N Y C F H
M L Y C S C A R E D H I F P E W B Y L P V
A A Z C H V S W S R I N M A L E O B O F O
T S K I D F X Q A H G Q L G H Y W V U A P
U T A X N B Y Q D L H U O F P N Z I D S O
R I Q M E Y L I T J F I M T I Q T N Y C W
E C H T B J U F D Y A S K J U C Z N L I E
V F N H U E B G U L L I B L E R D O K N R
Y J G A L G A K R B U T L Y I N G C Y A F
K P R N O Z V M D U T I D P A L E E Z T U
Z F A K U H A P N O I V M E R E R N E E L
D Q N F S N I H J I N E H B K E L T G D I
A H D U P F L I H A N D S O M E L Y O M V
S I I L Z I A L T H H B M Z E S T V V Z K
G J O F D R B A M P C E H A L T I N G L P
D U S U R S L R N A S P I R I N G G R H I
U T E L G T E I T F G G H D I S C R E E T
Z Y O Q M W P O X T V N K L H I D E O U S
C B D O H I L U Y V V K A D H E S I V E R
F D R U N K O S N X E J J C X T N G K U H
T T F C A L C U L A T I N G D T S M Z D W
```

CALCULATING, GRANDIOSE, AVAILABLE, INQUISITIVE, THANKFUL, HILARIOUS, FASCINATED, SAD, NEBULOUS, CLOUDY, ELASTIC, SCARED, DRUNK, ASPIRING, LYING, DISCREET, GULLIBLE, MALE, STRANGE, HANDSOMELY, FIRST, MATURE, HALTING, HIGHFALUTIN, POWERFUL, INNOCENT, ADHESIVE, PALE, MERE, HIDEOUS

```
U  V  A  Q  B  L  U  S  R  G  J  A  G  R  F  I  R  S  T  I  E
M  D  I  I  U  W  Z  D  I  S  C  R  E  E  T  K  D  M  T  L  E
K  N  E  B  U  L  O  U  S  C  G  J  U  M  Q  C  R  O  H  E  M
A  O  B  P  O  W  E  R  F  U  L  Y  O  J  Y  O  Y  R  T  L  Y
H  V  G  B  Z  C  X  J  H  K  M  A  T  U  R  E  O  G  X  R  U
J  I  W  R  A  A  O  B  Q  F  G  U  L  L  I  B  L  E  L  J  T
O  B  O  E  T  L  V  J  T  T  S  W  A  I  T  I  N  G  G  K  Q
G  V  N  K  X  C  L  X  L  K  N  O  T  T  Y  A  I  U  K  A  S
V  F  X  W  O  U  D  H  Z  N  S  C  D  I  F  F  E  R  E  N  T
A  A  F  D  I  L  M  A  S  T  R  A  N  G  E  Y  N  Z  H  Z  D
D  S  I  V  E  A  H  L  T  H  A  N  K  F  U  L  N  I  I  W  I
K  C  N  S  N  T  J  T  C  X  G  E  N  E  R  A  L  D  G  V  S
K  I  N  A  C  I  D  I  X  N  X  X  P  P  M  S  P  I  H  H  G
M  N  O  D  O  N  N  N  C  T  L  U  A  H  C  W  W  O  F  B  U
C  A  C  O  F  G  J  G  L  F  Y  X  L  Y  H  J  F  T  A  S  S
G  T  E  Z  A  D  H  E  S  I  V  E  E  X  U  Q  L  I  L  R  T
T  E  N  W  C  B  F  T  D  R  U  N  K  Y  B  F  R  C  U  T  E
E  D  T  M  A  L  E  M  O  N  W  I  Q  I  B  H  H  M  T  G  D
A  P  X  Q  B  B  N  B  A  D  V  U  D  K  Y  T  X  S  I  L  F
J  F  L  Q  H  O  H  I  N  Q  U  I  S  I  T  I  V  E  N  D  Z
J  O  C  C  P  Q  E  N  Z  S  Y  S  E  C  O  N  D  Z  T  F  N
```

THANKFUL, WAITING, INQUISITIVE, MATURE, GULLIBLE, BAD, INNOCENT, DIFFERENT, NEBULOUS, HALTING, DISGUSTED, KNOTTY, GENERAL, DRY, DISCREET, CHUBBY, FIRST, HIGHFALUTIN, IDIOTIC, POWERFUL, PALE, FASCINATED, MALE, ACID, SAD, DRUNK, SECOND, CALCULATING, STRANGE, ADHESIVE

```
Q Z U Q P A L E R O Q W F U I I N X Y S W
L Q X P D R Y H R Q U C H Q G Y Y B L U X
R L D Z T I N S I D I O U S P R M X G O Z
S E L A S T I C A G C V T T N P D R U U Y
D I T H U I D I O T I C Y V M O M E C T W
G Z V X Y A I A E E C L O U D Y R E A R U
F B U C H A L T I N G T S R I H A J G A G
A Y R N I N Q U I S I T I V E I V L E G Q
S A D V C K X W C S Q W C G G A K Y E N
C S D W D I S G U S T E D I D H I F W O F
I H P O W E R F U L H G D E I F L O J U I
N I F A Y N A R O M A T I C F A A X T S R
A L P V X R B P U B N G Y Q F L B C H F S
T A G O D L Y H H D D R S F E U L A K M T
E R C H U B B Y I R S A C M R T E S G E C
D I S C R E E T D U O N A Q E I T P F G Y
V O S T R A N G E N M D R H N N K I L J P
P U M S H X K K O K E I E N T K B R Y C S
R S T H A N K F U L L O D C Y I X I L V I
E E N X Z L D C S Q Y S B A B J M N I V I
X U Y L T V C E Z Z P E Z O I P O G Q Y Y
```

AVAILABLE, SAD, CAGEY, IDIOTIC, CHUBBY, PALE, DIFFERENT, INQUISITIVE,
HILARIOUS, AROMATIC, OUTRAGEOUS, CLOUDY, STRANGE, ASPIRING, DISGUSTED,
INSIDIOUS, FIRST, HIGHFALUTIN, GRANDIOSE, ELASTIC, HALTING, HIDEOUS,
HANDSOMELY, DISCREET, FASCINATED, DRUNK, GODLY, THANKFUL, POWERFUL,
SCARED

```
V Y L B P G G H H I G H F A L U T I N M J
R B Z Y M G I I I D I F H I I Y O O R H H
G R A N D I O S E B G S C N F H O A B W A
G O D L Y R M I K O K T T Q P I T D Z M N
U A G W X P N G L J U R L U M D T H I C D
B U G H K G A H K X H A C I V E V E R J S
S I N S I D I O U S I N L S Z O Z S V N O
C T H A N K F U L X L G O I A U L I C P M
A A N D O W T L I C A E U T J S W V A I E
R Q G F D G S Q C H R K D I M A L E G D L
E D I S C R E E T U I N Y V C J X H E I Y
D F N U M Z R P J B O Y I E A B H P Y O F
D R U N K A X N T B U U Z D L Q F L C T G
X S M E R E U K T Y S C U V C T A E Z I Y
M R K L R K Z H A L T I N G U L S I S C E
M W A I T I N G Y M O L D B L O P B Q N D
Z A L S E C O N D S R V M O A K I E U A N
F W Y F O U T R A G E O U S T W R Q G G H
Z T I F A S C I N A T E D I I V I Y T N S
K D N I N N O C E N T V P L N S N Q G G G
F B G F G E O Z F U F S E Y G P G V I D Z
```

WAITING, CAGEY, INNOCENT, HALTING, MALE, HIDEOUS, MERE, DISCREET, INSIDIOUS, HANDSOMELY, CALCULATING, SAD, GODLY, STRANGE, HIGHFALUTIN, CHUBBY, DRUNK, OUTRAGEOUS, CLOUDY, GRANDIOSE, IDIOTIC, SCARED, ADHESIVE, ASPIRING, SECOND, INQUISITIVE, FASCINATED, THANKFUL, HILARIOUS, LYING

D	D	G	S	X	X	L	Y	I	N	G	G	P	H	E	Y	T	T	E	M	K
I	N	R	F	A	S	C	I	N	A	T	E	D	A	L	P	V	K	N	Y	U
S	L	A	A	N	Q	R	J	F	I	R	S	T	N	A	O	I	U	Z	I	O
C	M	N	T	A	B	H	X	Z	Q	Y	L	U	D	S	W	M	B	C	C	H
R	P	D	C	W	A	I	T	I	N	G	M	T	S	T	E	P	B	A	D	I
E	P	I	N	O	I	N	M	A	T	U	R	E	O	I	R	G	I	L	I	L
E	K	O	L	I	N	S	C	A	R	E	D	C	M	C	F	U	R	C	F	A
T	F	S	L	S	Q	I	L	O	C	C	X	B	E	S	U	L	K	U	F	R
H	M	E	R	E	U	D	O	J	P	S	R	W	L	P	L	L	E	L	E	I
H	A	E	L	H	I	I	U	P	A	H	F	S	Y	A	L	I	Q	A	R	O
G	D	E	E	B	S	O	D	C	L	G	O	D	L	Y	P	B	X	T	E	U
D	H	O	Z	H	I	U	Y	N	E	R	U	S	A	D	S	L	E	I	N	S
E	E	F	Z	X	T	S	T	C	H	U	B	B	Y	K	O	E	X	N	T	X
J	S	W	H	X	I	H	I	G	H	F	A	L	U	T	I	N	H	G	L	X
T	I	B	A	W	V	V	B	K	V	P	K	A	R	E	Y	V	C	U	M	M
Z	V	A	M	A	E	T	H	A	N	K	F	U	L	J	T	J	A	W	D	A
I	E	B	A	D	F	B	Y	A	O	U	T	R	A	G	E	O	U	S	X	Z
A	Y	S	L	W	K	Z	K	O	K	J	C	A	G	E	Y	B	R	J	V	K
V	V	F	E	Q	M	Q	P	Q	W	A	L	X	C	M	Y	S	E	P	C	J
W	P	I	L	C	X	X	P	L	J	R	B	X	C	K	W	D	O	X	T	J
D	R	J	L	N	E	B	U	L	O	U	S	Q	H	N	P	V	A	O	D	Y

HIGHFALUTIN, OUTRAGEOUS, INQUISITIVE, POWERFUL, DISCREET, CAGEY, FIRST,
DIFFERENT, GODLY, HILARIOUS, MALE, LYING, HANDSOMELY, INSIDIOUS,
CALCULATING, FASCINATED, WAITING, SAD, GULLIBLE, MATURE, THANKFUL,
CHUBBY, ELASTIC, NEBULOUS, MERE, SCARED, PALE, GRANDIOSE, ADHESIVE,
CLOUDY

Word search puzzle grid:

```
U K P H N F S G G N G R A N D I O S E E W
J W P A G A Y O D I S G U S T E D K Y Q B
P J A N X R I D H M F A S C I N A T E D F
G N Y D O O N O T N E R Z F M A L E R H Z
R H O S X M S S E C O N D I A L O M Q C G
W C U O G A I K H F E X W V I M E R E A O
N Z M M C T D G I F P Y A N R P G M R L Q
M B U E P I I U L B U C I B S O Z S P C Q
Z V M L M C O L A Y J E T D A W Z W D U I
W S D Y C Y U L R T Y Z I M D E G O D L Y
C H U B B Y S I I U E J N O H R I A K A I
W A G V T E P B O Q K A G D F F Z D K T I
Y I Q S C X I L U T H A N K F U L B A I H
J S C A R E D E S L V Z F K Q L X L V N Q
Z I N N O C E N T Z R O O D Y I A I A G E
G I D I O T I C Z G U N N C X D C F I G N
A N Z O J L Y I N G M F J Z B R C I L R J
M Z A D H E S I V E O K K L O G A R A D N
M O O U T R A G E O U S C A F M G S B L Z
N E N T N Z T V Q T H D R Y I X E T L C E
U O A G C L O U D Y H H F W K D Y N E S Q
```

SAD, MERE, GULLIBLE, SECOND, MALE, AROMATIC, FASCINATED, LYING, ADHESIVE, SCARED, DRY, THANKFUL, POWERFUL, FIRST, HANDSOMELY, IDIOTIC, HILARIOUS, INSIDIOUS, CLOUDY, AVAILABLE, DISGUSTED, OUTRAGEOUS, CHUBBY, INNOCENT, CALCULATING, GRANDIOSE, WAITING, GODLY, CAGEY

```
V P O Z L Y V M C A G E Y I F M C G B F Z
X H A N D S O M E L Y P P W M G T Q L P W
H G U L L I B L E R G L A W W J L T I I T
F L T G G W L S Y D O B L V K J N Z A N H
B K D B O H A L T I N G E K J R N J D N A
L Q I N D Y T E X H I D E O U S M Y H O N
Q B S I L I N Q U I S I T I V E R N E C K
K H G C Y W A I T I N G R E P P O V S E F
T I U A W X X D H J H M A L E N U R I N U
S L S N D N C D R U N K P H X N T H V T L
C A T C L O U D Y X Q U G I Z E R B E F B
A R E O A V A I L A B L E G I B A O V U P
R I D D Q D P Y J F N S W H H U G M E L H
E O J I E K B B P O W E R F U L E V S W P
D U M F D B C U D A G K U A T O O M E R E
I S A F S S E C O N D E W L R U U E H U M
S Y D E G R A N D I O S E U E S S N Z J S
J B M R P F N D L Y I N G T S X T R S R U
K M B E A R A I M V E W L I X E I M V W K
V P O N R A S P I R I N G N K O B S G Z N
V B B T C H U B B Y Q I X G V Y Y Y W J W V
```

HIDEOUS, HANDSOMELY, AVAILABLE, HIGHFALUTIN, GRANDIOSE, DIFFERENT, PALE, POWERFUL, SCARED, NEBULOUS, THANKFUL, CHUBBY, ASPIRING, MERE, CLOUDY, GULLIBLE, LYING, MALE, CAGEY, OUTRAGEOUS, SECOND, INNOCENT, HILARIOUS, ADHESIVE, GODLY, DISGUSTED, WAITING, HALTING, DRUNK, INQUISITIVE

```
B H T J T T D M I T H D E P T K V Z F V U
P T H A N K F U L F Q C S W V M Q H J J S
W L A A F W S R H Q K A T V W M R F S D E
A M Y T P V L D A Z A L R R J A D J X R F
I Q M C J D Y P N J S C A M A T U R E Y R
T Q A H X I I K D I P U N A D H E S I V E
I H L U S S N S S N I L G H I D E O U S W
N Q E B F C G E O N R A E Q I Q D R U N K
G S S B Z R X C M O I T V J N F Y U Q I U
D A R Y W E Z O E C N I Z E Q A N H K T T
B D D Y J E P N L E G N Z L U S C C G Q O
P A L E H T P D Y N N G S C I C X O O E U
P A F T Y W K N L T V E P U S I I M D U T
J N G I N S I D I O U S P C I N P M L Y R
A V A I L A B L E V N K T D T A C O Y V A
N U L H S P G G J Z H C G F I T A N T T G
P W I G T K P U E D B Y A I V E G L N V E
D I B U M Y H U L L K D M R E D E M X L O
I C W J Z L M Q U N W S K S C E Y E M Y U
D I S G U S T E D O Q O A T D M S Z C J S
G M Q G S R Z T R Z G R A N D I O S E V S
```

STRANGE, THANKFUL, DISCREET, ADHESIVE, HIDEOUS, DRUNK, AVAILABLE, CALCULATING, MATURE, FIRST, HANDSOMELY, INQUISITIVE, FASCINATED, DISGUSTED, COMMON, INSIDIOUS, PALE, CAGEY, GODLY, OUTRAGEOUS, ASPIRING, SECOND, CHUBBY, DRY, MALE, INNOCENT, WAITING, LYING, SAD, GRANDIOSE

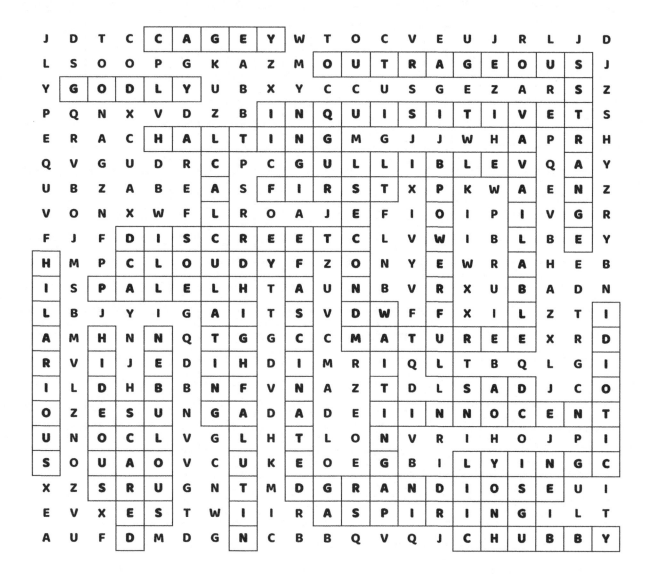

FASCINATED, AVAILABLE, GODLY, PALE, CLOUDY, POWERFUL, FIRST, WAITING,
CALCULATING, ASPIRING, HIGHFALUTIN, GRANDIOSE, IDIOTIC, GULLIBLE,
NEBULOUS, HILARIOUS, SCARED, HIDEOUS, LYING, INQUISITIVE, MATURE,
STRANGE, SAD, INNOCENT, OUTRAGEOUS, CHUBBY, HALTING, DISCREET, SECOND,
CAGEY

```
D S A Z V T C O Y F A S C I N A T E D O C
S D O Y V K L G R D V O A R O M A T I C A
S E C O N D O F I W A E S P P L S O J H L
L M P P H K U R B P D H P A L E F M N Z C
S A A S G K D M G D H D I S G U S T E D U
G L P U K H Y I Y H E E I Z G R O O V Y L
J E H B V T Z A P Z S F N S T R A N G E A
Q V I S C A R E D Z I V S J Y S Q A U W T
O M L G Y S V V T Q V S I N N O C E N T I
E Q A F I R S T H M E Q D F W A K X Z C N
C W R H D V R U A S Z W I I D I O T I C G
V X I I C V M M N R B A O D G C H U B B Y
J K O D O P V V W K Q C I U T P E G O D L Y
D K U E M S X A F T K T S C U L C A U T T
Y U S O M N H G U G E I E H P A W Y V F L
G V H U O E Q W L T I N Q U I S I T I V E
I U O S N V K D H X I G C H Y T V W D M Q
P B D N E B U L O U S Q Z E S I A J R Q J
L A P W Y G N U W P A A C I A C W J U I F
M H I G H F A L U T I N R M D N I Q N K Y
A S P I R I N G V E Q W B M P L H R K S U
```

ADHESIVE, SAD, CLOUDY, SCARED, FIRST, STRANGE, ELASTIC, AROMATIC, COMMON, SECOND, HIGHFALUTIN, NEBULOUS, ASPIRING, CALCULATING, INQUISITIVE, INSIDIOUS, HIDEOUS, CHUBBY, MALE, PALE, WAITING, DRUNK, GODLY, THANKFUL, GROOVY, IDIOTIC, FASCINATED, DISGUSTED, HILARIOUS, INNOCENT

```
F D I F F E R E N T Y X D M G I Y H I A L
X H S Q C S A D Y B N O B G D R T X H Y R
I G U L L I B L E V L W F A E N X V R R O
D E K F X D I S G U S T E D L I E I G F Z
I C O M M O N N T G I D V Z A C N E R A J
O C L O U D Y Z J O F F H M S H A R C S W
T F I R S T K V K D C Y A R T A H Q A C P
I O P C H M Z L C L B J L R I V O H L I O
C W C C Y J B Q L Y K F T I C A A W C N F
T R H U I N Q U I S I T I V E I R P U A U
Q C G R A N D I O S E S N A A L O D L T W
F P D I H Q O B I D X C G P P A M G A E A
S O R M E R E R U P N U W N W B A U T D I
L W D E Z D E L I G H T F U L L T L I S T
T E H I G H F A L U T I N B K E I G N O I
N R S C R X B R I N N O C E N T C K G K N
B F C P O Z A W P M A T U R E L B M D I G
J U A A O B D H Z K V D R U N K L M W N W
A L R L V N C J K A A C G B R R M J K W E
Z Y E E Y C K H I L A R I O U S Q K D E R
R W D F Y I J R U I M W H Q F S F M H G C
```

INNOCENT,IDIOTIC,DELIGHTFUL,WAITING,POWERFUL,AVAILABLE,FASCINATED, COMMON,BAD,GRANDIOSE,DRUNK,HIGHFALUTIN,DISGUSTED,MERE,AROMATIC, INQUISITIVE,HALTING,ELASTIC,GULLIBLE,SCARED,GROOVY,GODLY,SAD,PALE, CLOUDY,HILARIOUS,MATURE,CALCULATING,FIRST,DIFFERENT

R J C S B P T C M Z H I G H F A L U T I N
E C S I N S I D I O U S D G C Z K F F S O
P T Y T K B P E N G E L C L Y I N G R T U
Z I N Q U I S I T I V E O S Z Q K T F R T
B P C S E C O N D B O K I Q A G O M V A R
F M A I O Y L J G Q E L A S T I C D P N A
Y V L D H I L A R I O U S C F I S G V G G
T M C I D I S C R E E T Y A R H Q Y H E E
H S U O I R G T C L D X N R K D D L A K O
Q A L T P T L M A L E X K E O O I P N L U
U V A I E N E B U L O U S D F T F Q D H S
E A T C N H G A S P I R I N G H F Q S W B
V I I L G O D L Y O G T W N Y A E K O U B
H L N T G L I B I W R U D S T N R L M Q D
T A G S A D Y S N E A C X D J K E L E Z Q
T B M A T U R E N R N M U Q F F N D L B X
D L L J W C D C O F D E Q M N U T P Y W Z
R E X L U I P S C U I R F J Z L O A Z D T
U N C Y G D D E E L O E L M W L R L R B P
N W M C X K X T N C S P L R C A G E Y K T
K V H B G U S J T X E U X P M G U B N Q X

HANDSOMELY, NEBULOUS, GRANDIOSE, ELASTIC, THANKFUL, AVAILABLE, IDIOTIC, DISCREET, INQUISITIVE, POWERFUL, INSIDIOUS, SCARED, MATURE, LYING, SECOND, PALE, MALE, CAGEY, DRUNK, SAD, STRANGE, ASPIRING, GODLY, DIFFERENT, HILARIOUS, MERE, HIGHFALUTIN, INNOCENT, OUTRAGEOUS, CALCULATING

```
R A D H E S I V E F C A O Y Q N W Y K D L
I T H T E L A S T I C M S V G R M H D H E
T P M E R E P O U R S Y E E S G P Z G I M
H A D P G H J I S G U L L I B L E L G G E
A V I O R A G S L S T R A N G E M D K H W
N A S W A N N V H I L A R I O U S J U F A
K I C E N D Z Z V A R Y M A T U R E N A I
F L R R D S R B A D J Z A S C A R E D L T
U A E F I O I N Q U I S I T I V E T U U I
L B E U O M D D W O T C I D I O T I C T N
S L T L S E R A X I U A B C U B E K N I G
Y E S Y E L U R Z H A L T I N G F C N N Y
C A G E Y Y N P W K D C W G M S Z C Y C R
V Y S U K L K B N A U U M O P F L B G C M
Z V E O F H B J M M D L A D O F I R S T P
I I D C A O R W F U G A L L C L O U D Y B
O U T R A G E O U S T T E Y W Z E N F K Y
D Z R M F V F O N F K I G X W U M F S P P
F H Z Q L J F A S C I N A T E D H I N F Z
P A L E V R E O H R E G H V I F Y J O B E
Y T Q B U Z Y Y L I N S I D I O U S R X P
```

THANKFUL, CLOUDY, HILARIOUS, INQUISITIVE, WAITING, FIRST, ADHESIVE,
HANDSOMELY, HIGHFALUTIN, PALE, INSIDIOUS, SCARED, CALCULATING,
OUTRAGEOUS, DRUNK, STRANGE, MALE, FASCINATED, CAGEY, MATURE, ELASTIC,
HALTING, AVAILABLE, IDIOTIC, GULLIBLE, MERE, POWERFUL, GODLY, DISCREET,
GRANDIOSE

```
I D I O T I C V I Z C T Q H K S N G V D A
O B B I N F F N N H O V B A V A Q C D R Y
A V I U R X I C S C V J D D L D L L Y J B
C A L C U L A T I N G L I H P T T G G X F
T D J M P C V M D I S C R E E T L W A F U
B H Y B O R W F I Z R Z E S H I D E O U S
H D X E V R X M O T E A K I C D R U N K E
P H M U H W J X U Y H Q C V I T W D H H L
H A L T I N G Z S P U R Y E B D W F N A A
K Y M J T T X Z Y S T R A N G E C K W N S
I F O H L W A I T I N G Y W H T T B D D T
N T U I B X F O T K U Q F M A T U R E S I
Q H T G G R A N D I O S E F A I H B A O C
U A R H P N S L C Y Q E D U B Y C C N M A
I N A F T E C K W U L Y I N G A L H J E B
S K G A G B I L C M H I L A R I O U S L N
I F E L M U N E F A G M R I S V U B L Y F
T U O U U L A M X L O Z E A C H D B M R K
I L U T T O T H G E D H D V O J Y Y D Q A
V H S I K U E G Q D L D I F F E R E N T W
E Y L N J S D U D A Y R D G U L L I B L E
```

HIDEOUS, LYING, WAITING, GRANDIOSE, MALE, IDIOTIC, OUTRAGEOUS, DRY, HILARIOUS, GULLIBLE, DISCREET, MATURE, INSIDIOUS, CHUBBY, ADHESIVE, FASCINATED, HALTING, GODLY, STRANGE, DRUNK, CALCULATING, INQUISITIVE, THANKFUL, HIGHFALUTIN, ELASTIC, HANDSOMELY, NEBULOUS, SAD, DIFFERENT, CLOUDY

```
X  F  F  A  A  S  C  A  L  C  U  L  A  T  I  N  G  G  I  P  H
S  Q  B  Z  S  K  X  B  L  I  O  T  A  B  D  N  B  K  D  O  S
E  P  I  L  P  U  M  E  R  E  F  T  O  N  G  U  J  H  I  V  A
M  O  N  P  I  B  J  Y  Z  W  I  O  E  B  P  C  M  E  O  D  M
W  W  Q  D  R  H  H  I  L  A  R  I  O  U  S  C  P  A  T  G  L
D  E  U  I  I  Y  I  F  A  M  S  W  A  R  O  M  A  T  I  C  Y
G  R  I  F  N  G  G  P  G  B  T  U  X  V  B  O  G  B  C  J  I
O  F  S  F  G  U  H  W  E  L  A  S  T  I  C  U  W  W  S  X  N
D  U  I  E  B  L  F  P  A  L  E  C  N  J  I  T  M  F  A  D  G
L  L  T  R  H  L  A  D  T  W  V  S  U  G  O  R  H  H  O  R  F
Y  O  I  E  K  I  L  D  N  A  J  E  U  Z  P  A  I  I  I  F  G
R  O  V  N  L  B  U  R  E  I  I  C  J  E  D  G  W  D  U  Q  L
K  O  E  T  X  L  T  Y  B  T  Q  O  U  E  M  E  P  E  M  J  I
M  A  T  U  R  E  I  L  U  I  F  N  A  A  A  O  N  O  S  V  O
D  D  R  U  N  K  N  D  L  N  W  D  N  W  L  U  Q  U  C  Q  Q
R  Z  V  Z  G  I  X  M  O  G  B  Y  F  G  E  S  L  S  K  U  V
P  L  P  Z  Q  O  P  D  U  U  B  E  R  I  N  N  O  C  E  N  T
D  D  Y  O  R  W  H  D  S  B  G  R  A  N  D  I  O  S  E  K  R
D  O  S  T  O  H  A  N  D  S  O  M  E  L  Y  R  P  K  U  V  K
P  J  A  D  H  E  S  I  V  E  M  N  Z  Y  T  Q  B  E  Z  N  N
N  W  U  Z  M  G  O  Y  U  X  C  O  M  M  O  N  R  I  I  V  U
```

NEBULOUS, DRUNK, ELASTIC, ADHESIVE, ASPIRING, SECOND, INNOCENT, HIDEOUS, FIRST, PALE, GULLIBLE, MATURE, AROMATIC, IDIOTIC, HANDSOMELY, DIFFERENT, COMMON, INQUISITIVE, GODLY, LYING, DRY, HILARIOUS, WAITING, MERE, MALE, POWERFUL, GRANDIOSE, CALCULATING, OUTRAGEOUS, HIGHFALUTIN

```
H  L  P  X  V  Q  H  E  E  N  A  S  C  A  L  D  C  S  U  C  O
H  I  G  H  F  A  L  U  T  I  N  O  A  S  Y  R  M  E  F  A  U
Q  G  P  O  W  E  R  F  U  L  T  P  G  P  I  C  A  C  A  L  T
K  I  P  B  A  U  D  D  R  U  N  K  E  I  N  J  L  O  E  C  R
O  A  Y  Z  R  Z  F  Z  V  U  H  C  Y  R  G  K  E  N  F  U  A
V  V  N  A  B  Z  A  O  Q  Z  O  J  A  I  V  P  T  D  I  L  G
R  A  H  L  B  Q  S  W  B  Z  D  O  Q  N  R  K  A  I  R  A  E
A  I  I  N  N  O  C  E  N  T  I  R  S  G  H  Y  R  V  S  T  O
D  L  D  M  S  B  I  R  Q  M  S  I  D  I  O  T  I  C  T  I  U
H  A  E  I  R  Q  N  D  X  E  G  N  S  C  A  R  E  D  Z  N  S
E  B  O  M  E  Y  A  I  S  R  U  N  P  C  L  O  U  D  Y  G  P
S  L  U  J  S  B  T  S  A  E  S  N  G  R  A  N  D  I  O  S  E
I  E  S  C  T  P  E  C  D  R  T  D  I  F  F  E  R  E  N  T  D
V  D  R  M  O  T  D  R  C  U  E  T  S  C  O  A  I  I  N  N  L
E  G  B  P  H  H  N  E  X  D  D  S  N  J  V  B  G  Z  S  C  J
E  L  A  S  T  I  C  E  Z  X  W  O  N  V  R  B  H  Z  O  V  I
O  E  Y  H  R  F  B  T  P  A  Z  G  U  L  L  I  B  L  E  H  F
C  Z  P  W  Z  Z  T  H  A  N  K  F  U  L  Y  E  Q  I  P  E  U
S  X  F  D  J  C  O  O  H  E  Q  M  H  A  L  T  I  N  G  B  F
Q  A  V  O  G  I  R  K  Q  J  N  H  M  N  K  G  N  U  Y  U  Q
P  T  Z  D  R  Y  Y  A  M  R  U  F  C  E  L  K  F  E  B  H  T
```

MERE, CAGEY, DISGUSTED, AVAILABLE, DRUNK, GRANDIOSE, HALTING, DIFFERENT, POWERFUL, INNOCENT, HIGHFALUTIN, THANKFUL, OUTRAGEOUS, DISCREET, ELASTIC, HIDEOUS, IDIOTIC, SECOND, SAD, LYING, MALE, GULLIBLE, DRY, ADHESIVE, CLOUDY, CALCULATING, SCARED, FIRST, FASCINATED, ASPIRING

```
A  W  L  T  U  A  D  O  D  I  F  F  E  R  E  N  T  B  W  J  A
P  Y  J  C  P  D  I  Z  G  R  O  O  V  Y  T  S  Y  T  Q  W  B
U  L  L  U  Z  H  S  M  N  S  Q  G  W  A  I  T  I  N  G  A  L
S  M  S  A  S  E  G  O  V  B  X  M  D  R  K  R  C  B  Y  E  A
O  G  I  Y  C  S  U  X  G  Z  O  A  R  O  M  A  T  I  C  Z  M
L  C  C  H  A  I  S  I  Y  R  I  D  L  V  K  N  O  T  T  Y  E
H  L  P  A  R  V  T  P  H  D  N  C  B  R  T  G  U  H  D  U  M
U  O  D  N  E  E  E  T  H  A  N  K  F  U  L  E  P  C  Y  G  W
J  U  F  D  D  B  D  O  I  E  O  J  U  M  N  T  O  U  M  F  S
M  D  R  S  J  K  I  K  L  L  C  J  X  M  M  E  L  K  G  X  E
W  Y  R  O  M  U  S  H  A  A  E  N  Z  E  A  O  Q  C  U  X  C
S  C  O  M  M  O  N  S  R  S  N  O  W  R  T  Y  S  A  L  I  O
L  O  S  E  H  W  M  B  I  T  T  E  P  E  U  W  R  G  L  D  N
W  J  A  L  J  H  Y  D  O  I  N  X  O  Z  R  D  S  E  I  I  D
E  B  D  Y  F  G  Y  O  U  C  J  L  W  M  E  T  T  Y  B  O  H
A  G  O  D  L  Y  U  S  S  Y  Q  Y  E  N  S  U  U  Y  L  T  M
C  A  L  C  U  L  A  T  I  N  G  I  R  U  S  I  C  L  E  I  A
I  Z  V  M  A  L  E  L  V  N  F  N  F  A  J  T  M  G  I  C  V
Z  F  A  S  C  I  N  A  T  E  D  G  U  A  C  H  D  W  S  Q  W
Y  R  L  M  G  G  T  I  C  O  K  N  L  N  O  G  L  W  H  A  Z
E  H  I  D  E  O  U  S  B  M  R  R  R  U  C  X  M  J  W  E  Y
```

DISGUSTED, CALCULATING, IDIOTIC, MERE, CAGEY, COMMON, THANKFUL, HILARIOUS, HIDEOUS, GROOVY, SAD, ADHESIVE, MATURE, MALE, POWERFUL, SCARED, WAITING, CLOUDY, SECOND, LYING, GULLIBLE, ELASTIC, STRANGE, GODLY, HANDSOMELY, DIFFERENT, FASCINATED, INNOCENT, KNOTTY, AROMATIC

```
M  P  Z  V  M  O  O  D  D  S  I  N  S  I  D  I  O  U  S  N  T
X  Z  I  D  I  O  T  I  C  O  C  K  Y  Q  F  H  S  M  C  E  B
L  H  D  Z  U  N  J  F  T  Z  T  L  R  Q  Q  I  U  B  N  B  Z
V  Q  J  L  T  Z  W  F  H  N  I  V  M  Y  B  L  S  H  A  U  B
J  S  T  R  A  N  G  E  A  U  N  L  F  C  L  A  E  H  D  L  R
X  V  E  C  T  D  J  R  N  D  N  G  L  E  U  R  Z  A  H  O  M
C  L  O  U  D  Y  H  E  K  R  O  I  F  S  U  I  Y  L  E  U  K
E  C  H  U  B  B  Y  N  F  U  C  A  F  A  P  O  N  T  S  S  G
W  A  I  T  I  N  G  T  U  N  E  F  A  D  H  U  D  I  I  R  R
E  M  Z  W  Z  E  C  A  L  K  N  R  S  L  N  S  Z  N  V  V  A
L  A  Q  O  J  G  D  U  Z  J  T  Z  C  M  E  R  E  G  E  Y  N
A  L  Z  W  M  O  I  L  Y  I  N  G  I  S  L  C  X  H  E  K  D
S  E  O  P  A  D  S  M  G  M  F  C  N  H  I  D  E  O  U  S  I
T  N  T  L  T  L  C  L  X  Y  P  Y  A  V  C  H  B  D  K  F  O
I  P  F  Z  U  Y  R  Y  N  D  Y  G  T  J  A  Q  H  Y  F  W  S
C  M  N  U  R  I  E  X  N  J  V  S  E  O  G  R  H  D  F  K  E
O  H  J  K  E  B  E  N  N  P  L  A  D  V  E  F  D  B  O  N  W
O  G  B  P  U  Y  T  N  G  F  I  R  S  T  Y  W  J  I  Q  I  X
A  G  L  T  H  I  G  H  F  A  L  U  T  I  N  H  J  J  O  F  E
Y  A  V  A  I  L  A  B  L  E  V  E  N  V  F  N  C  S  B  H  L
G  N  H  D  K  E  M  W  K  M  I  S  I  G  Z  S  P  A  L  E  X
```

LYING, DRUNK, HIDEOUS, PALE, SAD, GRANDIOSE, NEBULOUS, ELASTIC,
HIGHFALUTIN, DIFFERENT, HILARIOUS, FASCINATED, ADHESIVE, STRANGE, FIRST,
CAGEY, CHUBBY, HALTING, IDIOTIC, AVAILABLE, WAITING, MALE, DISCREET, GODLY,
INSIDIOUS, THANKFUL, MATURE, INNOCENT, CLOUDY, MERE

A D N I D T C H I U Q E U W I R A G N V K
N Y U T B I L M D V B P H J T O R D E H H
W W L E V L K W F M D D P Y E N Q Z B M I
H B E T N J W O H G C L O U D Y P K U H G
A V K V K D N U U J T R X S M C F P L U H
L B X T P N U M A T U R E T A H I U O W F
T K O G J Y X D G O D L Y R L U R L U S A
I T I U F B A Y V G I L O A E B S Y S K L
N P X L A D R O K C N Y E N K B T I V K U
G T S L S X O W A I T I N G N Y B N L L T
O U C I C P M D L V S H U E W O S G G M I
Q I A B I O A S C A L C U L A T I N G B N
U J R L N W T A E I K Z L M C G D J H C Z
R I E E A I D T N H E I D I O T I C H G
O H D Q T R C G H S C C Y P A L E I Y W R
C I S I E F O U A I A D E L I G H T F U L
G D A J D U D D N D G F W M K F L J A D H
Q E E K J L W V K I E S U E I M T B M R Y
L O Z V M E R E F O Y T Y F R N G W Z U H
O U W O D O R F U U Q U A Y Z X I B L N F
E S B U X M U I L S S A G G R V O S Q K W

LYING, FASCINATED, IDIOTIC, INSIDIOUS, FIRST, AROMATIC, SCARED, CAGEY, SAD, PALE, NEBULOUS, STRANGE, GODLY, MATURE, WAITING, DRUNK, CLOUDY, GULLIBLE, HIDEOUS, CALCULATING, POWERFUL, HALTING, DELIGHTFUL, MERE, HIGHFALUTIN, THANKFUL, CHUBBY, MALE

```
W  N  F  D  D  P  F  J  L  D  G  L  G  P  Q  M  W  D  U  N  G
I  A  Q  V  C  M  A  L  E  I  N  Y  U  G  U  Y  O  L  N  R  D
N  K  R  F  Q  A  V  G  Z  F  K  I  L  O  P  U  Z  W  Q  S  G
Q  K  U  T  K  G  F  Y  T  F  K  N  L  G  I  E  R  G  K  T  P
U  O  V  G  Q  O  L  I  V  E  T  G  I  S  S  T  R  A  N  G  E
I  A  H  O  C  R  K  N  P  R  G  E  B  F  I  R  S  T  X  C  D
S  T  I  D  F  J  O  N  W  E  H  Z  L  P  O  W  E  R  F  U  L
I  X  L  L  O  A  U  O  A  N  J  I  E  D  F  Z  T  W  A  C  B
T  G  A  Y  U  A  T  C  S  T  C  L  O  U  D  Y  I  A  A  S  L
I  V  R  H  Q  R  R  E  P  D  U  A  S  Y  K  C  A  D  V  Y  V
V  K  I  K  H  X  A  N  I  A  Z  H  I  D  E  O  U  S  A  F  C
E  N  O  A  A  E  G  T  R  A  D  H  E  S  I  V  E  C  I  A  U
E  I  U  I  L  L  E  C  I  E  O  U  Z  A  S  N  T  A  L  S  N
K  N  S  J  T  A  O  K  N  Z  K  G  P  D  G  E  J  R  A  C  Y
T  S  E  P  I  S  U  G  G  T  H  C  H  U  B  B  Y  E  B  I  M
B  I  Q  X  N  T  S  V  N  N  P  M  U  U  N  U  M  D  L  N  N
D  D  V  Q  G  I  C  C  I  C  A  P  H  F  M  L  W  R  E  A  T
A  I  K  U  R  C  F  O  O  M  L  Z  X  I  E  O  G  B  U  T  R
Y  O  K  H  A  N  D  S  O  M  E  L  Y  Y  R  U  L  J  O  E  Y
X  U  Z  Z  D  G  R  R  C  A  G  E  Y  L  E  S  B  S  U  D  H
H  S  I  J  K  U  H  U  C  I  C  A  L  C  U  L  A  T  I  N  G
```

OUTRAGEOUS, FIRST, AVAILABLE, GODLY, SCARED, CHUBBY, PALE, HILARIOUS, INSIDIOUS, CAGEY, HIDEOUS, DIFFERENT, FASCINATED, CLOUDY, GULLIBLE, STRANGE, LYING, ADHESIVE, ASPIRING, ELASTIC, INQUISITIVE, SAD, HALTING, POWERFUL, HANDSOMELY, MALE, NEBULOUS, CALCULATING, INNOCENT, MERE

```
C Q N J Q D S A Y Z Y F A H F P U S F L J
A R Z H T O H A R O M A T I C G X Q L C O
A H H I T H L I G P R S I N N O C E N T T
H I B L L R M E R E S C A D Y L J H C Y I
A D F A C H U B B Y W I D P E G N N G V N
N E I R N R Y M E R K N H M D S B G U C Q
D O R I N M A L E G P A E A I Q V P L O U
S U S O O E M X A O R T S T F Q N G L M I
O S T U Q C B S I D S E I U F U W R I M S
M K B S L A P F Y L Y D V R E C M A B O I
E B U U X G K P B Y N I E E R L W N L N T
L W Z S X E A V A I L A B L E O J D E J I
Y T S T D Y A S P I R I N G N U F I N Z V
C Z G H R I D I O T I C C Y T D V O F X E
C K N I U E T H A N K F U L V Y U S E U Q
O A M U N N R L J G D S E C O N D E Z Z W
Q Y K M K Y Q M H I G H F A L U T I N C S
Q V K M T B U P A L E G D V I T I N J Q I
W A I T I N G Q L I A E I U Q W Q K Q Z N
Y H G O T Z W V N M S D Z M Z Q O O O J O
D L N N C N W Y U N E B U L O U S N A F N
```

CLOUDY, DRUNK, PALE, ASPIRING, COMMON, CAGEY, IDIOTIC, GRANDIOSE, AVAILABLE, ADHESIVE, SECOND, FIRST, NEBULOUS, WAITING, HIGHFALUTIN, FASCINATED, MERE, HILARIOUS, AROMATIC, GODLY, GULLIBLE, MATURE, MALE, THANKFUL, CHUBBY, HANDSOMELY, DIFFERENT, INQUISITIVE, HIDEOUS, INNOCENT

```
E P I H B M L N A U B O T G J C B K P I H
C M N D R Z C L D M P O W E R F U L N H I
F N Q I U Y A Y H C T H A N K F U L H E W
I Y U F J J G I E H I L A R I O U S F C T
R W I F F N E N S Y H A N D S O M E L Y C
S I S E J Q Y G I R Z N D J B Z W D X Q J
T N I R S A D R V Q N H T V P R G Z H N J
N S T E R S U P E L L C X F T Z R A U Y E
J I I N P G S E M Q T H Q N B Z A R K I L
K D V T F A S C I N A T E D D P N T G D L
C I E G C L O U D Y R U L H R A D V H I G
W O M U G V N Z C I L M Q M U L I A X O A
R U Z A L D S T R A N G E A N E O S A T Q
P S B X R X K M K E N D U T K E S P Y I M
M A S A Y H C K L L E I X U H N E I W C E
A V A I L A B L E A B S C R C S B R A H R
L G W J O L I W X S U C H E P Y K I I U E
I P W G I T Z S C T L R U Q W L U N T B X
M A L E W I I D V I O E B X G C N G I A S
F P N R H N L F O C U E B G D M O W N B L
K J L A S G I L Q Z S T Y U T V F F G E C
```

ASPIRING, MERE, NEBULOUS, DRUNK, AVAILABLE, FASCINATED, FIRST, ADHESIVE, CLOUDY, ELASTIC, HILARIOUS, MATURE, INSIDIOUS, DIFFERENT, WAITING, SAD, GRANDIOSE, PALE, HANDSOMELY, IDIOTIC, LYING, HALTING, STRANGE, THANKFUL, CHUBBY, POWERFUL, CAGEY, DISCREET, MALE, INQUISITIVE

```
L  V  Q  H  A  V  A  I  L  A  B  L  E  M  O  J  X  K  V  J  U
S  O  U  T  R  A  G  E  O  U  S  O  X  D  K  Q  W  H  R  D  D
D  H  I  J  F  X  A  B  X  D  I  F  F  E  R  E  N  T  I  W  C
A  F  N  A  K  A  C  T  H  A  N  K  F  U  L  X  A  G  O  N  N
Y  W  S  R  Y  T  O  U  T  Z  X  L  E  I  V  V  S  M  X  P  Y
A  W  I  O  U  C  M  B  R  D  N  G  O  D  L  Y  P  O  V  E  Z
N  J  D  M  U  A  M  E  H  E  K  L  S  Q  X  D  I  T  N  G  L
F  B  I  A  T  G  O  G  U  L  L  I  B  L  E  L  R  H  M  J  Y
L  W  O  T  S  E  N  F  X  I  C  C  H  C  Y  G  I  M  A  L  E
W  B  U  I  W  Y  O  V  I  G  Q  H  A  J  C  R  N  R  R  M  C
M  D  S  C  M  E  R  E  I  H  K  I  L  G  H  A  G  E  F  I  T
W  A  I  T  I  N  G  T  L  T  N  G  T  G  U  N  H  L  Z  H  S
Q  C  L  O  U  D  Y  R  P  F  P  H  I  Z  B  D  J  A  B  S  P
F  D  R  U  N  K  A  P  D  U  D  F  N  Y  B  I  T  S  I  E  S
J  G  S  T  R  A  N  G  E  L  T  A  G  R  Y  O  F  T  D  C  T
O  G  Q  D  E  P  J  G  V  H  O  L  P  W  Z  S  A  I  R  O  Z
D  I  S  C  R  E  E  T  O  X  M  U  U  F  A  E  Y  C  Y  N  N
A  Q  G  L  B  M  A  T  U  R  E  T  D  S  P  N  Q  L  L  D  X
R  R  P  A  S  U  H  I  L  A  R  I  O  U  S  H  C  F  W  Y  E
X  G  V  W  D  C  F  I  R  S  T  N  W  Q  H  M  T  B  T  I  O
B  Q  O  Z  S  J  L  P  Q  P  O  Y  I  X  L  L  P  A  L  E  Y
```

FIRST, MATURE, GODLY, MERE, DELIGHTFUL, GRANDIOSE, DISCREET, CLOUDY, HALTING, SECOND, DRY, PALE, WAITING, AVAILABLE, ASPIRING, CAGEY, OUTRAGEOUS, DRUNK, COMMON, HILARIOUS, GULLIBLE, THANKFUL, INSIDIOUS, HIGHFALUTIN, CHUBBY, DIFFERENT, MALE, STRANGE, ELASTIC, AROMATIC

X	G	S	C	N	S	C	A	R	E	D	M	S	W	I	M	F	A	W	J	J
A	S	M	H	J	J	I	N	Q	U	I	S	I	T	I	V	E	F	H	I	S
R	N	A	U	J	F	B	U	H	E	L	O	U	T	R	A	G	E	O	U	S
O	W	L	B	S	A	D	G	A	U	X	L	P	F	V	W	Z	Y	S	O	U
M	T	E	B	V	P	D	A	L	C	D	D	V	X	X	D	V	P	R	U	D
A	P	H	Y	H	K	Q	O	T	J	E	F	A	S	C	I	N	A	T	E	D
T	H	A	N	K	F	U	L	I	A	L	A	D	E	C	F	G	Q	Z	P	J
I	O	I	T	C	D	K	S	N	C	I	T	Y	R	I	F	B	A	D	J	G
C	E	L	A	S	T	I	C	G	V	G	T	J	P	K	E	J	K	U	L	R
H	A	N	D	S	O	M	E	L	Y	H	D	C	A	I	R	I	R	J	A	A
C	X	I	N	N	O	C	E	N	T	T	I	L	D	J	E	M	N	Q	M	N
F	P	O	W	E	R	F	U	L	Q	F	S	O	H	G	N	U	F	N	O	D
C	Z	U	B	L	G	M	R	I	C	U	G	E	C	T	A	C	T	B	I	
V	E	L	C	S	R	A	H	S	F	L	U	D	S	L	P	V	L	B	T	O
T	M	D	H	T	O	T	G	R	H	V	S	Y	I	O	S	Y	V	K	N	S
T	G	B	I	R	O	U	C	Y	O	F	T	T	V	D	R	Y	B	A	F	E
M	E	R	E	A	V	R	Y	T	B	D	E	Q	E	N	E	D	H	J	E	S
H	L	N	L	N	Y	E	L	I	W	R	D	H	N	E	B	U	L	O	U	S
Z	O	M	Y	G	G	O	D	L	Y	E	E	I	J	B	Z	P	Z	S	A	V
M	X	S	E	E	C	I	B	I	C	T	G	E	A	H	I	D	E	O	U	S
S	Z	E	U	I	S	Q	Y	M	Q	W	A	I	T	I	N	G	L	F	F	H

DELIGHTFUL, MERE, DIFFERENT, INQUISITIVE, ELASTIC, ADHESIVE, POWERFUL, HALTING, SAD, THANKFUL, GROOVY, DISGUSTED, MATURE, SCARED, GRANDIOSE, INNOCENT, WAITING, DRY, HIDEOUS, HANDSOMELY, AROMATIC, STRANGE, OUTRAGEOUS, MALE, CLOUDY, GODLY, BAD, FASCINATED, NEBULOUS, CHUBBY

F I L K **H I G H F A L U T I N** C J C V J P

Y Z E D M B **C** H C V I N U H B N T Z M **D** G

Q H X U Q B **H S** H V **D** G J N D **F** R G J **I** H

R Q V X B N U **C** X X **I M E R E I** M C O **S** M

M A T U R E B **A** R K O **K** V **A** B **R** D F K **G** Y

W S Y C N L **B R** L O T N **D D** N **S R** H **I** U B

A P U J E O **Y** E R X **I** O J **H** Y **T** Y V **N S** E

I I B M J Z I D Z P **C** T W **E** P R D P **Q T** Q

T R T O O **L Y I N G** Q T J S Y R J H **U E** T

I I G T F M Q F J Y X R Y X I W P G B **I D** J

N N L C A **I N N O C E N T** V H C K N **S W** E

G G T N Q W **D R U N K** I Q E V J M **B I** P Y

S O J D Y **H A N D S O M E L Y** H X **A** T Q **A**

J **G R O O V Y** D O G F B S G C M A **D** I L **R**

K Y S D Q **H I D E O U S** D L F P N T **V** R **O**

U B **T** L **H I L A R I O U S** U Z R G J **E** L **M**

V D **R** X R M G D S V **C L O U D Y** A R H N **A**

V W **A** R D **C A L C U L A T I N G** K T M S **T**

H Z **N** R J W **A V A I L A B L E** O B P V O **I**

J Z **G S A D** M I J N I Z N N D V R G S U **C**

H E **E** M E P V R R E J **C A G E Y** U P T H W

HIDEOUS, FIRST, ADHESIVE, INNOCENT, BAD, GROOVY, HANDSOMELY, AROMATIC, CHUBBY, SCARED, AVAILABLE, MATURE, SAD, STRANGE, MERE, INQUISITIVE, WAITING, LYING, DRY, DRUNK, KNOTTY, CAGEY, ASPIRING, HIGHFALUTIN, CLOUDY, HILARIOUS, IDIOTIC, CALCULATING, DISGUSTED

K W K M X N D T P Q G G W K D K J N T W O
I N N O C E N T O H G Z J G N T P E T M N
D I S C R E E T W I R D I Y H C J B H E C
P V Z E D F K W E G A E N N P R P U A M H
A S P I R I N G R H N L S X O G A L N D U
X C M A T U R E F F D I I A U E L O K R B
W A I T I N G S U A I G D W T F E U F U B
M H A L T I N G L L O H I G R I O S U N Y
B K U W U X B W O U S T O F A G Y M L K J
A Q E S M E U Q R T E F U A G P I L O E V
P H S O X N X L N I R U S J E L P R P K Y
H M V Z N F Z J N N A L J H O S Y I M U I
A E L A S T I C I W J B Q Q U T O T Y N F
N H S N M C S G B K F B B L S R N F C V C
D Z A O U S C U Y J K R H I L A R I O U S
S D D F W E A L K M A L E J X N P T O D J
O M K B O C R L B C L O U D Y G D Q V K S
M E C K G O E I R V P Z I F L E R U X S I
E R A K F N D B F F A S C I N A T E D N M
L E G P I D B L G G F P H X E S M W Q L Q
Y I Q G B E Q E G S A A R O M A T I C W Z

POWERFUL, STRANGE, DELIGHTFUL, ELASTIC, MATURE, GULLIBLE, HALTING,
HILARIOUS, FASCINATED, SCARED, DRUNK, CLOUDY, HIGHFALUTIN, INSIDIOUS,
PALE, CHUBBY, THANKFUL, HANDSOMELY, SAD, OUTRAGEOUS, MALE, NEBULOUS,
ASPIRING, MERE, DISCREET, GRANDIOSE, AROMATIC, SECOND, INNOCENT, WAITING

```
J  E  A  T  R  I  E  R  R  G  N  V  G  O  D  Q  J  G  X  Q  B
X  T  H  A  N  D  S  O  M  E  L  Y  G  P  E  J  U  K  A  T  D
X  H  P  O  W  E  R  F  U  L  P  O  H  B  L  N  G  E  X  T  G
Y  A  Q  W  K  H  I  G  H  F  A  L  U  T  I  N  P  L  X  S  O
B  N  I  A  B  B  R  S  N  D  L  C  I  A  G  G  S  A  B  O  D
M  K  D  V  J  I  N  N  O  C  E  N  T  C  H  I  W  S  A  Z  L
M  F  I  A  U  P  L  Y  I  N  G  E  A  G  T  N  V  T  D  K  Y
E  U  O  I  G  E  N  E  R  A  L  B  R  A  F  Q  T  I  P  E  W
H  L  T  L  C  L  O  U  D  Y  E  U  O  W  U  U  J  C  B  Z  G
I  T  I  A  K  N  E  M  W  R  W  L  M  D  L  I  D  R  U  N  K
L  J  C  B  S  I  L  G  E  C  B  O  A  X  Y  S  Z  M  P  O  B
A  G  U  L  L  I  B  L  E  I  F  U  T  A  R  I  W  O  R  T  Q
R  R  Z  E  G  E  W  D  X  Z  Q  S  I  U  V  T  B  B  X  R  N
I  W  Z  N  E  K  L  R  J  Q  K  Y  C  A  C  I  D  P  M  V  W
O  G  Z  V  C  I  Q  Y  B  A  T  W  P  Y  L  V  H  D  U  F  B
U  G  D  L  A  B  H  G  R  O  O  V  Y  E  G  E  A  Y  C  R  I
S  W  B  I  J  K  I  D  O  K  E  Q  F  U  T  P  L  M  A  L  E
B  V  Z  Q  A  S  P  I  R  I  N  G  A  L  G  E  T  I  C  O  Y
O  C  A  L  C  U  L  A  T  I  N  G  A  M  Z  F  I  P  U  D  Y
I  O  D  I  S  G  U  S  T  E  D  L  D  G  Z  S  N  R  S  M  A
J  L  X  N  L  F  A  S  C  I  N  A  T  E  D  A  G  M  X  A  J
```

HILARIOUS, CLOUDY, THANKFUL, CALCULATING, DRUNK, MALE, ASPIRING, PALE,
DISGUSTED, GULLIBLE, LYING, POWERFUL, ACID, INQUISITIVE, IDIOTIC, GROOVY,
AVAILABLE, GODLY, HIGHFALUTIN, NEBULOUS, DELIGHTFUL, BAD, HANDSOMELY,
FASCINATED, ELASTIC, HALTING, GENERAL, INNOCENT, AROMATIC, DRY

```
D  I  Z  B  W  H  C  A  L  C  U  L  A  T  I  N  G  C  Q  P  A
B  D  R  L  N  I  R  Y  V  M  A  T  U  R  E  Y  T  T  J  O  Z
Z  I  N  S  I  D  I  O  U  S  K  W  X  D  B  W  U  G  U  D  A
J  U  T  J  V  E  D  F  L  G  Z  H  D  W  W  S  C  A  R  E  D
T  N  S  A  K  O  G  D  I  F  F  E  R  E  N  T  M  K  Z  D  K
U  P  P  U  J  U  H  I  L  A  R  I  O  U  S  C  E  U  I  N  E
F  C  Z  B  R  S  Q  I  D  I  O  T  I  C  I  O  R  Z  A  E  K
E  C  P  A  L  E  B  K  I  C  E  M  U  J  R  T  E  T  S  B  Q
F  A  S  C  I  N  A  T  E  D  L  Y  X  Z  L  A  A  T  P  U  J
L  H  V  Y  E  B  R  B  A  V  A  I  L  A  B  L  E  R  I  L  C
Y  A  S  T  R  A  N  G  E  O  I  C  P  T  G  Y  G  J  R  O  D
I  N  W  W  A  B  G  K  T  U  N  H  R  H  R  Q  Z  T  I  U  I
N  D  F  I  R  S  T  H  H  T  Q  U  D  X  A  L  Y  T  N  S  S
G  S  E  Z  Y  L  R  A  A  R  U  B  S  B  N  Y  C  D  G  U  C
Q  O  L  G  G  P  W  L  N  A  I  B  W  B  D  Y  L  D  U  O  R
J  M  A  Z  M  P  D  T  K  G  S  Y  X  E  I  D  R  U  N  K  E
D  E  S  O  S  A  D  I  F  E  I  X  D  P  O  W  T  G  R  Q  E
A  L  T  X  Z  T  I  N  U  O  T  Z  M  B  S  P  Z  I  C  A  T
S  Y  I  C  Y  A  G  G  L  U  I  L  J  M  E  L  T  C  X  I  V
B  V  C  W  O  I  Q  H  P  S  V  G  I  A  D  H  E  S  I  V  E
G  U  L  L  I  B  L  E  P  V  E  N  O  C  R  H  V  A  C  X  Y
```

AVAILABLE, HIDEOUS, HALTING, OUTRAGEOUS, GRANDIOSE, DRUNK, GULLIBLE, SAD, MERE, IDIOTIC, HANDSOMELY, INQUISITIVE, LYING, SCARED, STRANGE, CALCULATING, INSIDIOUS, PALE, NEBULOUS, HILARIOUS, THANKFUL, DIFFERENT, DISCREET, ADHESIVE, MATURE, CHUBBY, FIRST, ELASTIC, ASPIRING, FASCINATED

```
A S C A R E D L P E P Q M X W D Y H N Q P
I O A P J E S R H A L T I N G R W E B S R
L M B B N I C W N P W J Q O U U A K T Z O
I O N P F T A O X E S Z H B K N A F E F H
Y M J D F L Y C K N T S B J A K O I W S M
K L P R V T P O U T R A G E O U S R A E R
R N E B U L O U S K A B K S A P D S R C D
A L N S C B I G B I N N V L N C R T O O I
K N O V C H X F I J G R F Y M B Y X M N S
B P C I L I E A M M E C O M M O N F A D C
Y D A V O D S G B H V S K W U N B T X R
T E L A U E O C R W X M A L E H J S I P E
D L C D D O D I A R L S M E R E U M C H E
U I U H Y U L N N D I S G U S T E D X L T
S G L E Q S Y A D B P G I U A U F A Y F Y
L H A S W A I T I N G L R S Q U U T P T Q
Y T T I W W F E O F B S D R J H K G V N G
I F I V P W I D S H I L A R I O U S M P Z
N U N E H Y L E U N D H E E L A S T I C
G L G I D I O T I C X W X D T C F A R P M
N J B G J P I N N O C E N T F E V L Z L M
```

AROMATIC, OUTRAGEOUS, NEBULOUS, WAITING, MALE, HALTING, STRANGE, CLOUDY, LYING, ADHESIVE, FIRST, ELASTIC, MERE, GODLY, GRANDIOSE, HILARIOUS, COMMON, SECOND, CALCULATING, IDIOTIC, DISCREET, DRY, HIDEOUS, DELIGHTFUL, SCARED, DISGUSTED, FASCINATED, DRUNK, INNOCENT

```
F  Q  P  E  I  I  W  A  D  H  E  S  I  V  E  Z  W  W  H  C  K
K  F  P  G  N  A  U  I  A  V  A  I  L  A  B  L  E  G  M  N  W
T  V  X  U  N  G  R  N  P  O  W  E  R  F  U  L  R  R  Z  C  M
H  Z  W  L  O  O  S  A  D  E  Z  R  N  W  C  Q  F  A  Y  L  A
L  Y  W  L  C  P  F  A  S  C  I  N  A  T  E  D  P  N  M  T  T
Y  Y  A  I  E  J  I  N  Q  U  I  S  I  T  I  V  E  D  U  B  U
S  V  I  B  N  Q  V  O  G  A  H  A  B  O  D  Z  Q  I  W  A  R
I  X  T  L  T  D  E  L  I  G  H  T  F  U  L  B  W  O  Y  W  E
E  I  I  E  U  L  T  V  S  A  O  F  G  A  S  H  V  S  Y  H  C
W  G  N  U  I  D  I  O  T  I  C  O  P  R  I  M  G  E  P  B  O
D  S  G  Q  A  Q  O  U  T  R  A  G  E  O  U  S  L  W  Q  F  F
X  F  H  F  Q  P  Y  B  G  I  M  C  P  M  Z  W  P  R  Q  C  V
U  Z  C  H  U  B  B  Y  R  T  E  A  S  A  G  L  A  Z  N  H  V
D  I  S  C  R  E  E  T  O  C  R  G  C  T  O  T  L  P  E  W  H
E  E  K  P  A  G  L  W  O  L  E  E  A  I  D  M  E  N  B  V  B
R  H  U  P  E  Y  Y  Y  V  O  W  Y  R  C  L  A  S  R  U  B  X
I  A  I  M  C  G  I  X  Y  U  S  Z  E  T  Y  L  I  G  L  I  B
B  T  U  J  Q  F  N  K  Z  D  M  I  D  R  Y  E  M  N  O  N
L  H  U  A  S  R  G  M  N  Y  R  Z  X  L  Y  U  Q  U  U  B  I
T  T  D  W  U  H  I  D  E  O  U  S  F  X  F  H  P  W  S  S  X
H  E  S  O  L  O  L  O  X  H  I  L  A  R  I  O  U  S  M  X  K
```

IDIOTIC, SAD, GULLIBLE, GRANDIOSE, PALE, CAGEY, HIDEOUS, MALE, GROOVY, MATURE, AVAILABLE, POWERFUL, FASCINATED, CLOUDY, DRY, DELIGHTFUL, DISCREET, NEBULOUS, INNOCENT, MERE, SCARED, WAITING, INQUISITIVE, AROMATIC, HILARIOUS, LYING, OUTRAGEOUS, GODLY, ADHESIVE, CHUBBY

```
T  G  S  Q  B  S  U  R  X  Y  T  H  A  N  K  F  U  L  I  Q  Y
Z  F  H  O  B  G  O  D  L  Y  N  D  C  T  Q  I  A  R  F  C  P
H  D  X  B  R  W  A  T  D  O  E  C  O  M  M  O  N  N  K  J  Z
S  A  D  S  K  S  S  M  X  U  B  W  D  P  H  G  M  G  A  P  H
J  B  G  T  C  X  P  F  R  G  U  O  R  O  I  L  D  H  X  A  A
J  S  O  F  A  H  I  O  K  I  L  U  U  W  N  D  R  Y  E  L  M
M  A  L  E  G  B  R  C  H  T  O  T  N  E  S  L  X  R  C  E  T
D  Y  A  O  E  D  I  H  A  B  U  R  K  R  I  C  U  S  L  H  A
D  P  P  G  Y  W  N  U  L  P  S  A  E  F  D  B  C  Z  O  V  F
S  E  C  O  N  D  G  B  T  B  G  G  O  U  I  G  O  I  U  L  L
R  I  F  H  N  R  Z  B  I  M  V  E  B  L  O  D  Z  E  D  Y  L
H  Z  I  I  V  S  G  Y  N  B  V  O  I  W  U  N  U  G  Y  W  Y
V  Z  R  L  L  G  T  N  G  C  L  U  E  V  S  B  E  I  M  V  Q
M  E  S  A  L  R  L  H  J  B  B  S  X  W  A  I  T  I  N  G  M
R  L  T  R  N  A  H  A  N  D  S  O  M  E  L  Y  L  A  J  O  V
A  A  O  I  S  N  W  N  G  J  K  A  Z  S  C  A  R  E  D  A  J
Q  S  W  O  S  D  L  I  N  Q  U  I  S  I  T  I  V  E  U  V  L
X  T  Y  U  Y  I  D  I  F  F  E  R  E  N  T  J  T  B  U  D  A
I  I  D  S  E  O  A  Z  T  L  Y  I  N  G  C  H  Y  P  F  G  H
X  C  S  R  V  S  T  F  T  A  D  H  E  S  I  V  E  F  Z  I  U
L  V  R  M  P  E  U  M  W  C  A  L  C  U  L  A  T  I  N  G  H
```

POWERFUL, GRANDIOSE, HANDSOMELY, HALTING, ELASTIC, COMMON, ASPIRING, OUTRAGEOUS, DIFFERENT, CHUBBY, CLOUDY, CAGEY, LYING, INSIDIOUS, DRY, THANKFUL, FIRST, MALE, INQUISITIVE, PALE, ADHESIVE, SECOND, NEBULOUS, GODLY, CALCULATING, SCARED, DRUNK, HILARIOUS, WAITING, SAD

```
T  A  F  K  O  X  T  R  G  R  A  N  D  I  O  S  E  H  V  V  Y
A  F  C  G  Q  F  T  C  S  J  P  P  A  U  G  F  I  R  N  K  E
M  M  D  F  T  D  K  A  A  M  C  V  C  O  M  M  O  N  Q  F  L
J  E  W  I  L  O  N  G  D  A  S  P  I  R  I  N  G  A  Q  F  A
A  Q  E  E  T  S  U  E  E  L  J  F  L  X  U  V  L  J  J  S
T  E  R  C  X  N  Y  Y  L  E  A  V  A  I  L  A  B  L  E  X  T
S  H  I  G  H  F  A  L  U  T  I  N  F  L  C  U  F  X  X  H  I
M  V  A  W  A  I  T  I  N  G  D  D  G  E  E  E  A  I  N  C  C
W  J  D  I  S  C  R  E  E  T  E  L  P  C  N  C  S  C  T  I  F
A  H  F  P  I  N  N  O  C  E  N  T  S  A  P  A  C  A  H  B  K
M  X  Z  C  L  O  U  D  Y  M  L  N  I  L  A  P  I  R  I  D  Y
N  N  F  K  Y  S  C  A  R  E  D  E  J  C  Q  Y  N  O  L  R  G
O  M  D  I  F  F  E  R  E  N  T  B  S  U  P  H  A  M  A  Y  O
S  G  M  Y  G  M  X  C  X  B  U  U  E  L  A  A  T  A  R  O  E
I  N  M  A  T  U  R  E  C  K  Y  L  P  A  L  L  E  T  I  J  O
T  H  A  N  K  F  U  L  Z  C  Q  O  J  T  E  T  D  I  O  O  Q
V  U  K  O  U  T  R  A  G  E  O  U  S  I  T  I  M  C  U  K  D
G  O  D  L  Y  Q  P  V  Y  W  F  S  I  N  S  N  D  U  S  Y  W
Z  I  O  G  B  P  T  G  K  V  T  N  F  G  O  G  D  P  R  U  W
D  W  S  A  A  E  S  E  C  F  I  R  S  T  B  R  W  H  F  Y  A
B  E  B  Y  D  D  Z  D  W  D  R  U  N  K  W  L  N  W  G  J  T
```

OUTRAGEOUS, AVAILABLE, CALCULATING, DIFFERENT, FIRST, PALE, SCARED, DRY, INNOCENT, CLOUDY, ELASTIC, FASCINATED, MATURE, SAD, WAITING, HIGHFALUTIN, DRUNK, DISCREET, HILARIOUS, GODLY, ASPIRING, AROMATIC, MALE, HALTING, THANKFUL, COMMON, NEBULOUS, BAD, CAGEY, GRANDIOSE

Made in the USA
Monee, IL
07 February 2023

27287431R00057